D0522240

Marie, l'homme éléphant, Mitsou et les autres

Du même auteur

J'aime le monde et les nouvelles du sport
Montréal, Les Éditions Quebecor, 1998

100 commentaires
Montréal, Les Éditions Quebecor, 2000

Quelques reprises
Montréal, Les 400 coups, 2005

Christian Tétreault

Marie, l'homme éléphant, Mitsou et les autres

Les 400 coups

Nous remercions le Conseil des Arts du Canada de l'aide accordée à notre programme de publication, et la SODEC pour son appui financier en vertu du Programme d'aide aux entreprises du livre et de l'édition spécialisée.

Nous reconnaissons l'aide financière du gouvernement du Canada par l'entremise du Programme d'aide au développement de l'industrie de l'édition (PADIÉ) pour nos activités d'édition.

Révision linguistique : Marie-Claude Rochon (Scribe Atout)
Photos de la couverture : Félix Tétreault et Camille Trempe
Maquette de la couverture
et composition typographique : Nicolas Calvé

Marie, l'homme éléphant, Mitsou et les autres a été publié sous la direction de Marina Lescop.

Diffusion au Canada
Diffusion Dimedia
539, boul. Lebeau
Saint-Laurent (Québec)
H4N 1S2

© Christian Tétreault et les éditions Les 400 coups, 2005

Dépôt légal – 4e trimestre 2005
Bibliothèque nationale du Québec
Bibliothèque et Archives Canada

ISBN 2-89540-281-7

Imprimé au Canada sur les presses de Marquis Imprimeur

Introduction

Il s'appelait François Billette.

Nous avions 15 ans, pensionnaires au Collège Laval.

Il était dans ma classe en dixième année.

Je ne sais pas ce qu'il est devenu.

François était le marginal du collège. La tête fêlée.

Le bizarre.

Grassouillet, brillant et explosif. Un cancre pas comme les autres.

Une imagination débridée.

Il fumait son tabac Drum, ne touchait jamais à ses cheveux hirsutes et parlait de sa mère psychotique.

Un jour, il avait écrit une fable folle. Une fable que j'avais lue et relue.

C'est cette fable, sortie de l'imagination de François Billette qui m'a donné le goût d'écrire. Le désir et le plaisir d'exploiter et de développer mon imagination, avec des mots.

Depuis ce temps, je gagne ma vie comme ça.

L'imagination est volontaire et cultivable. Elle est dans la conscience.

Je suis responsable du développement de mon imagination.

Je dois la sarcler, l'arroser, y travailler tous les jours. Des fois, les saisons sont bonnes et les récoltes grasses, d'autres fois, c'est plus dur.

L'imaginaire se cache dans l'inconscient.

Je suis un casanier

Mes journées sont banales et je ne bouge pas beaucoup.

Je me lève, je me lave, je mange, j'écris, j'écris encore, je lis et je regarde la télé. L'été, je joue à la balle avec mes fils et je pédale un peu. L'hiver, il m'arrive de sortir une pelle.

Je n'aime pas les partys, je n'aime pas la vie sociale.

Gêné comme une huître, plate comme une crêpe.

Ma vie, c'est France et nos trois fils, Félix, Francis et Simon.

Mes parents, mes sœurs, mon frère et quelques rôles de soutien.

Depuis 30 ans, ma vie, c'est aussi le vaste monde de la radio et de la télévision. Je suis un col bleu de la culture.

Je suis heureux d'y jouer un rôle discret, loin des lentilles.

Ma seule fenêtre publique, c'est les nouvelles du sport à la radio.

À la télévision, je suis depuis toujours un fournisseur d'idées, de concepts et de textes. Toujours en contact avec les artistes.

J'ai quatre cadrans

À toutes les nuits, je me réveille trois, quatre et cinq fois. Et je rêve beaucoup.

Autant mes journées sont calmes et blanches, attaché au clavier de mon ordinateur, autant mes nuits sont bouleversantes, excitantes et pleines d'action.

Mes nuits sont en couleurs, en rencontres, en peurs, en joies, en doutes, en réussites, échecs, inquiétudes et drames sans conclusion.

Comme un voyage.

Je voyage la nuit et je me repose le jour.

Je me souviens souvent de mes rêves, j'ai développé une technique de mémorisation qui marche, 50 % du temps.

Dans la minute qui suit mon réveil, je dois trouver un fil, juste un flash et l'histoire me revient. Mais pendant ce temps, le rêve s'estompe, il se sauve.

Il disparaît graduellement de ma mémoire et retourne dans le néant, caché à tout jamais dans un coin perdu de mon imaginaire.

Je me suis donc acheté un dictaphone pour capturer mes rêves avant qu'ils ne s'échappent.

Mon « IC recorder ICD-B16 » passe la nuit sur ma table de chevet.

Chaque fois que je me réveille, j'ai développé le réflexe de tendre la main, de le prendre, d'appuyer sur le bouton « *record* » et de réciter ce qui vient de se passer dans mon inconscient pendant que mon corps dormait.

Le lendemain matin, je découvre toujours avec étonnement ce que j'ai vécu entre mes draps, sans bouger.

Je transcris, en reconstruisant les événements vécus, au mieux de mon souvenir. Tout est authentique.

C'est ce que j'ai réussi à attraper dans ma chasse aux rêves.

Je sais qu'une grande partie de mes aventures nocturnes m'échappent à tout jamais. Mais quand même, j'en garde suffisamment pour constater que l'inconscient est un univers très riche.

Sur le même voyage, comme dirait le vieux Jean Cournoyer, il y a trois ou quatre spécialistes qui vont y lire un autoportrait et une autobiographie très pointue.

Tant mieux si ça les intéresse.

Alors je n'aurai pas à vous raconter que ma « vraie vie » est plus ordinaire qu'une toast au fromage Kraft.

Ce voyage de cent nuits a été passionnant et essoufflant du début à la fin.

Maintenant, si vous permettez, je vais aller dormir.

J'ai un show de radio demain matin.

Un homme, cent nuits

Première nuit

1. Orlando Cabrera, dépanneur

J'ai dans mon porte-monnaie une vingtaine de joints de pote.
J'en ai fumé la moitié d'un pour me *buzzer* un peu, avant
de me gaver les sens de la peau de France.

Je suis dans un sous-sol et je prépare le gala des prix
Gémeaux.
C'est très boucané parce que j'ai fumé la moitié d'un joint
de pote.
Je sors du local pour aller chercher à manger. Le local est
près d'une station de métro qui ressemble à Henri-
Bourassa, mais dans une ambiance de pays étrange. Une
ville postmoderne, des lieux inquiétants, sans âme,
grossièrement reconnaissables.

Un dépanneur est situé à un kilomètre au sud du local.
Je m'y suis arrêté. Un tout petit dépanneur, caché derrière
une boutique de fleurs. Le propriétaire du dépanneur est

11

Orlando Cabrera, l'ancien arrêt-court des Expos.
C'est écrit sur une petite pancarte lumineuse et discrète.
« *Orlando Cabrera, dépanneur* ».
Je pensais qu'il était fermé, mais je suis quand même entré.
Il y a à peine quelques palettes de chocolat dans des
comptoirs de verre.
Derrière un comptoir, légèrement cachés par une colonne,
un latino, sa femme et un troisième, Orlando Cabrera.
Il m'a demandé, en français, si j'avais recommencé le
montage d'une entrevue avec lui. Pourtant, je ne lui ai
jamais parlé.
Pendant qu'il me parle, je réalise qu'il vient de gagner la
Série mondiale avec les Red Sox. Bizarre qu'il soit
propriétaire d'un dépanneur sur Sauvé.
Je l'ai félicité pour sa victoire et lui ai fait l'accolade. Je lui ai
dit de transmettre mes félicitations à Pedro Martinez. Je
réfléchis à d'autres joueurs des Red Sox.
Orlando me parle « *du gars dans le vestiaire, celui qui a la
gorge peinturée de bleu méthylène* ».
Je n'ai pas saisi le rapport, pourtant je sais qu'il fait
référence à Nomar Garciaparra, celui-là même qu'il a
remplacé à Boston.
Nomar est maintenant avec les Cubs.

Entre-temps, France est arrivée.
Il n'y a pas que nous dans le dépanneur.
Je ne vois rien à acheter. Juste des cochonneries
industrielles, petits gâteaux usinés, chips, etc. Il n'y en a pas
beaucoup.
France demande des *smoked meats*.
Je dis à Orlando d'en rajouter un.
« *Tu veux du ketchup dedans ?* »
Je lui dis non.
« *Orlando, donne-moi ton adresse et ton numéro de téléphone
à Boston pour que je puisse aller voir les Red Sox avec France
au Fenway Park. Tu pourrais me donner des billets, non ?* »
Il m'a donné deux adresses, une à Boston, sur la rue Longpré.
Une seconde à Taipei.

NOTE *Autour de moi, ici dans le bureau, il y a 300 livres qui parlent de baseball. Il y a des feuillets de 23 pages, des biographies, des romans et des encyclopédies de 3000 pages. Ce sport, imaginé dans le nord-est de l'Amérique au milieu du XIXe siècle, a toujours exercé sur moi une fascination sur le bord d'être exagérée. Mon grand père Émile, né en 1890, en était un adepte, mon père a suivi et m'a passé le flambeau, j'ai contaminé mes fils, qui passeront au suivant.*

Le baseball, c'est mon îlot, c'est mes poumons.

J'en connais l'histoire, les détails, les personnages.

C'est une coche dépassé la passion.

2. Réal chante sérieux

Réal Béland veut chanter avec une fille. Une adaptation d'une chanson connue. Il me demande de lui écrire les paroles.

Je réfléchis à l'œuvre. Il faut prioriser les sonorités.

Il faut que les sonorités françaises soient semblables à l'anglais.

Ce n'est pas une chanson drôle. C'est une vraie.

3. Yasser Taschereau

Ici au Québec, devrait-on prendre la voix de Ghislain Taschereau pour honorer la mémoire de Yasser Arafat?

4. Le vélo bossé

On fait un grand tour de vélo. Mon cousin Robert y est. C'est un circuit qui ressemble à la piste cyclable du Petit Train du Nord, derrière chez moi. Dans un monde en parallèle de la réalité.

Ce sont toujours des lieux qui ressemblent à des lieux connus, mais insécurisants parce que pas tout à fait semblables.

J'arrive le premier à la fin des étapes et je m'assois sur des bancs qui ont l'air d'être de bois mais qui sont de plastique brun, comme les nôtres.

Il y a un modèle à deux places et des chaises de jardin. Il y a aussi un comptoir de *fast food* A & W.

J'attends. En pleine vitesse, arrivent trois cyclistes habillés comme des compétiteurs professionnels, en bleu royal. Un des trois avait le vieux vélo Peugeot que j'ai donné à Félix. Je l'avais pourtant prêté à mon cousin.

Il l'a échangé, le temps de quelques kilomètres, pour une bicyclette d'acrobatie, ces petits vélos avec lesquels les jeunes casse-cou font des figures dans les *skate parks*.

Le type qui a roulé avec le vélo de Félix m'a dit que le cadre du Peugeot avait une bosse.

« *Ça change quoi ?* lui ai-je demandé.

— *Demande à ton ami Foglia. Il va t'expliquer que la bosse fait qu'on ressent plus l'effet de la route. Mais à part ça, c'est un vélo génial.* »

5. Renseigner Coallier

Jean-Pierre Coallier me téléphone pour avoir un renseignement sur la signification d'une expression. J'ai fait les recherches et je l'ai rappelé.

J'avais probablement la réponse.

PERSONNAGES

France Tétreault-Courteau

C'est ma femme, mon amour depuis samedi le 28 mars 1970. Elle avait 15 ans. Une explosion quotidienne de toutes sortes de choses. Une grande artiste aux mains magiques. La mère de mes enfants. Ma partenaire, mon amour et mon amie. Toujours belle.

Orlando Cabrera

Arrêt-court des Expos entre 1998 et 2004. Aujourd'hui avec les Angels.

Pedro Martinez

Ancien lanceur des Expos, seul gagnant du Cy Young de l'histoire de l'équipe, échangé à Boston en 1998.

Nomar Garciaparra

Joueur d'arrêt-court étoile. Boston, 1996-2004. Échangé aux Cubs en 2004.

Réal Béland
Humoriste génial, garçon humble et très talentueux. Papa de deux belles petites filles. Un ami.

Ghislain Taschereau
Humoriste frisé. Imagination fertile. Protestataire.

Yasser Arafat
Leader palestinien, mort à l'automne 2004.

Cousin Robert Denis
Mon cousin jumeau, né deux jours avant moi, mon alter ego jusqu'à l'âge de 27 ans. Je ne le vois plus.

Félix Tétreault
Mon fils aîné. Voyageur. Artiste. Heureux. Brillant. Ma fierté.
Né le 15 juin 1983. Jumeau de ma fille Marie, décédée le 29 septembre 1985. A survécu à l'épiglottite. Un de mes trois meilleurs amis.

Pierre Foglia
Chroniqueur à *La Presse*. M'a coûté à peu près 5000 dollars de papier journal depuis 30 ans. Je ne le connais pas.

Jean-Pierre Coallier
Animateur avec qui j'ai travaillé entre 1988 et 1994.

Deuxième nuit
DIMANCHE 14 NOVEMBRE 2004

6. La guerre
C'est la guerre.
Je dois entrer dans un appartement en compagnie d'un haut gradé.
Dans cet appartement, il faut que je prenne tout ce qui risque d'être utile après la guerre. Une fois que c'est fait, il faut tuer les occupants des lieux, s'il en reste.
Sorti de l'appartement, à distance devant moi : un accident. Un moteur a pris feu. Je vois la scène de loin.
Les civières qui arrivent sont du camp ennemi.

7. Dimanche matin au pays qui n'existe pas

C'est dimanche matin.

Je suis avec Simon et d'autres personnes.

La ville a été frappée par des catastrophes naturelles. Le ciel est nuageux et enragé.

La Cité de la Santé a été à moitié détruite par le feu.

Il y a plein de monde. Nous sommes dans un centre de ski paranormal qui devient une maison privée qui ressemble à chez nous.

Il y a plusieurs humoristes, dont Patrick Huard.

Pour me jouer un tour, Huard se dédouble.

Mon oncle Yvon se cherche une station FM pour écouter de la musique classique. Il entend Michel Rivard et il n'aime pas, je cherche à l'aider mais je n'y parviens pas.

8. De la musique chez Gregory

C'est le début de la période des sondages.

Une dame d'une agence a offert un voyage à quelques membres de l'équipe du matin, dont Pierre Pagé. Mais rien pour moi, qui suis pourtant l'animateur principal de l'émission.

Ça me frustre et je le dis pendant un *meeting*, avant une émission. Personne n'en fait grand cas. Au cours de ce *meeting*, Gregory Charles nous demande de le suivre dans son loft pour écouter de la musique.

Charles Benoît y va avec un autre individu.

Ils partent avant moi, parce que j'ai oublié mes vieux sabots bruns, en cuir. Je pars cinq minutes après. Il s'avère très compliqué de se rendre chez Greg.

Il faut passer à travers un parc d'amusement sur la rue McGill.

Je dois prendre un ascenseur ultrarapide.

C'est un ascenseur qui avance à l'horizontal et qui fait le tour d'un édifice rond. À partir de cet ascenseur vitré, on voit Las Vegas et plein de machines à sous. Avec moi dans l'ascenseur, un petit garçon perdu.

Trop compliqué, on doit abandonner le projet de se rendre chez Gregory parce qu'il faut que je fasse un commentaire à 17 h. Il est 16 h 30.

Dans un édifice à logements.
Une femme énorme est couchée face à moi, par terre, en souffrance.
Elle est nue et pleure. 450 livres. Elle s'en va à l'hôpital avec son fils.

9. Histoire de dents

Je suis attablé dans un restaurant avec des gens que je ne connais pas.
Ils ont tous des dentiers. Le grand-papa au bout de la table, un plus jeune juste devant moi. J'ai moi-même deux dents qui ne sont pas correctes.
Une de ses deux dents s'est désagrégée en un amas de petites boules de plomb que je mets dans mon assiette.
Je fais le tour de ma bouche avec ma langue pour trouver les derniers petits plombs et il semble toujours en rester, cachés dans les cavités de ma bouche.
Devant moi, une fille denturologiste.
Elle a en bouche quatre ou cinq dentiers gros et laids, pleins de broches, empilés les uns sur les autres.
Parmi les convives, un jeune russe de 30 ans fait la conversation avec les gens derrière moi, une famille de Russes.

NOUVEAUX PERSONNAGES

Simon Tétreault
Mon fils cadet. Brillant, travailleur, intéressé à tout. Guitare, baseball, autos, chasse, planche. Né le 9 novembre 1988. A survécu à une grossesse de 29 semaines. Un de mes trois meilleurs amis.

Patrick Huard
Humoriste et acteur que j'ai connu au bas de l'échelle. Il a grimpé depuis.

Oncle Yvon Tétreault
Le frère de mon père, missionnaire aux Philippines pendant 40 ans. Un guide. La bonté incarnée. Né le 30 novembre 1931.

Michel Rivard
Faiseur de chansons, poète et musicien.

Pierre Pagé
Animateur radio. Col bleu de la culture. Passionné. Un ami depuis 12 ans.

Gregory Charles
Grand artiste, grand croyant. Grand homme avec qui j'ai collaboré sur deux galas.

Charles Benoît
Vice-président du réseau Énergie.
Un supporteur depuis plus de 10 ans. Un ami.

Troisième nuit

MARDI 16 NOVEMBRE 2004

10. Scoop de vélo
Je suis au Tour de France.
Un cycliste français blond prend une spectaculaire plonge.
Il s'envole par-dessus le peloton devant et déboule cul par-dessus tête jusqu'au bord de l'océan. Une armée de journalistes se rue sur lui. Je reste derrière.
Devant les journalistes, il fait la baboune et ne répond pas.
Je sais qu'à moi, il dira tout ce qu'il a ressenti.

11. Tour de chant
Je suis avec Gregory Charles et je l'aide à choisir les chansons de la première partie de son spectacle. Nous sommes tous les deux devant un grand dessin et nous avons des petits drapeaux que nous plantons sur le dessin. Chaque drapeau est une chanson.

12. Conventum à Vegas

Je suis à Las Vegas pour quelques jours avec des gens de radio.

André Furlatte est là. Dan Gignac aussi. Encore un problème d'ascenseur bloqué que je réussis à débloquer.

J'embarque. L'ascenseur vire fou et se promène à travers les salles de spectacle à une vitesse vertigineuse.

Comme s'il s'était transformé en montagne russe.

Tout le monde a peur, sauf moi. Je suis tellement habitué aux ascenseurs qui piquent des crises de folie, ça ne me dérange plus.

Nous sommes à Las Vegas pour un téléthon. Je suis enragé contre les organisateurs parce que je n'ai pas de chambre individuelle. Je dois la partager avec deux autres. Mais je règle le cas très vite en appelant au bureau de l'hôtel.

Ariane Moffatt chante dans un casino.

NOUVEAUX PERSONNAGES

André Furlatte

Un génie de la réalisation radiophonique. Confrère depuis 12 ans.

Dan Gignac

Un vieux chum que j'ai connu à l'âge de 12 ans au Collège Laval. Éternel optimiste, souvent dans la merde.

Ariane Moffatt

Faiseuse de chansons.

Quatrième nuit

MERCREDI 17 NOVEMBRE 2004

13. Rideau Vert

France et moi sommes allés voir une nouvelle version de la pièce *Broue* au Théâtre du Rideau Vert.

Avant la pièce, j'ai discuté avec Marc Messier.

Je lui ai demandé si c'était plus difficile de jouer *Broue*, maintenant qu'on a changé le texte pour y inclure des chansons et plein d'autres figurants et acteurs, dans une dynamique théâtrale qui ressemble davantage à une œuvre de Michel Tremblay.

Ce qui m'a beaucoup fait rire pendant la pièce, c'est la scène avec Michel Côté et Normand Brathwaite.

Normand a un rôle silencieux. Il est à l'avant-scène, en tuxedo.

Michel Côté pisse dans une pissotière. Au début, on croit qu'il pisse pour vrai, mais on s'aperçoit qu'il a une *hose* à jardin, avec laquelle il arrose Brathwaite. C'est tellement drôle.

Je ris à pleins poumons pendant de longues secondes. La séquence de l'arrosage n'en finit pas de ne pas finir.

J'ai quitté un peu avant l'entracte pour aller aux toilettes. J'ai rencontré Dominick Trudeau, producteur délégué chez Avanti. Il est mal à l'aise de me voir. France est restée assise, jalouse de Dominick Trudeau. Toutes les portes qu'on voit ont une lettre. La porte du théâtre affiche la lettre «H».

Entre la salle de spectacle et l'extérieur, un très long escalier roulant.

Je reviens avec Dominick pour voir la fin du premier acte.

Il me demande quelle est la job qu'on veut lui offrir.

Jocelyne Brousseau l'a appelé et il sait que je suis au courant. Je ne lui ai pas dit, mais c'est une petite job au gala des prix Gémeaux.

Dans le lobby du théâtre, des gars m'interpellent.

Des gars de sport, dont le gros Paul Buisson de RDS qui fait des niaiseries.

Il a en mains de la ficelle de plastique en lot qu'il coupe avec des ciseaux, en faisant semblant de les compter.

Chaque couleur de ficelle représente une équipe de la Ligue nationale de hockey.

Il coupe la ficelle orange, pour les Islanders de New York.

Après l'avoir coupé, il dit :

« *Islanders : zéro.* »

Tout le monde éclate de rire. Je ne comprends pas.

Je veux revenir à mon siège, mais le premier acte est terminé et tout le monde sort de la salle. Bousculé par la horde, je décide de suivre le flot dans l'escalier roulant, sans attendre France, qui est toujours à l'intérieur.

Dans l'escalier, il y a Marie-Chantal Perron accompagnée de sa vieille mère et de deux autres vieilles dames.

An bas de l'escalier roulant, j'attends France qui n'est pas très loin derrière moi.

Elle est en colère parce que je ne l'ai pas attendue.

Elle veut aller dans un restaurant spécifique dont je ne me souviens pas du nom. Un nom étrange.

Nous marchons un peu plus loin dans ce décor très surréaliste.

En bordure d'un bois, il y a deux petits chiens au pelage dans différents tons de gris. Ils ressemblent à des jeunes loups aux yeux bleu pâle très clairs.

Deux beaux petits chiens.

Derrière eux, un veau aux allures de prédateur.

Le veau veut enculer un des deux petits chiens. Le veau parle aux petits chiens en français, comme s'ils étaient dans une pièce de théâtre.

Nous nous éloignons de la scène et ils continuent à parler. Je ne saisis pas ce qu'ils disent.

France n'est plus fâchée. Je lui explique que depuis que l'émission *C'est mon Show,* à TQS, n'avait pas fonctionné, Dominick Trudeau avait la phrase « *Je veux rien savoir de toi* » écrite sur le front.

France la trouve comique.

14. Cigarettes et pays blanc

Nous sommes en vacances dans un endroit de villégiature. Jocelyne est là, avec des gens que je ne connais pas mais avec lesquels je suis à l'aise. Il fait très beau, c'est féerique. La bouffe est exceptionnelle.

Nous sommes à une table dans un restaurant. France et moi d'un côté de la table, Jocelyne et une fille qu'on ne connaît pas, de l'autre côté.

La fille a les cheveux roux courts et de grands yeux bleus.

France a une robe blanche ajustée et décolletée.

Sa peau est dorée, elle est superbe. Ses yeux éclatent comme des diamants.

J'ai le goût de fumer. Je demande à France si elle a encore des petits cigares dans son sac.

Elle en a. Elle m'en donne un. Un tout petit cigare, un pouce de long, mince comme un crayon, tout effiloché.

Nous allons dans notre chambre d'hôtel.

Notre hôtel est presque dans les nuages sur une montagne blanche, même si ce n'est pas l'hiver.

Après une longue nuit de sommeil, je m'absente quelques minutes. Je me rends au même restaurant, je veux voir Jocelyne et lui demander une cigarette. Elle n'est pas là.

La vieille dame à qui je demande si elle a vu Jocelyne me répond que je suis la 10e personne à lui poser la question. Elle ne sait pas où elle est. Elle est impatiente.

Sur la table de la dame, il y a trois paquets de cigarettes. Des Du Maurier extra-longues.

Je lui demande si ce sont les cigarettes de Jocelyne, elle ne me répond pas.

Je sors du resto. Je réalise, en sortant, que tous les clients fument.

Sans exception.

Ils ont tous un paquet de cigarettes sur leur table.

Pourtant, c'est un resto santé.

Je suis redescendu vers la chambre d'hôtel, et j'ai continué mon chemin parce que, plus bas, il y a des petites boutiques.

Je veux voir si dans une de ces boutiques, il y a des cigarettes.

Dans la vitrine d'une petite boutique souvenir, j'en vois.

Des *Mark Ten.*

Pour m'y rendre, je dois traverser un endroit où il y a des chutes d'eau. Je dois passer au travers d'un espace très restreint, entre des barreaux, en me maintenant dans le courant d'eau pour pouvoir me rendre à la boutique.

Je n'ai jamais réussi.

NOUVEAUX PERSONNAGES

Marc Messier
Acteur québécois, très talentueux. Peut faire rire et pleurer.

Michel Tremblay
Auteur prolifique, symbolique et mythique. Géant.

Michel Côté
Acteur québécois, au même profil que Marc Messier.

Normand Brathwaite
Longtemps mon meilleur ami showbiz. Animateur.
Musicien.

Dominick Trudeau
D'abord recherchiste, puis producteur.

Jocelyne Brousseau
Recherchiste et productrice télé. Très allumée.

Paul Buisson
Gros reporter sportif de RDS, ancien cameraman, décédé
en mai 2005.

Marie-Chantal Perron
Comédienne pleine de dynamisme.

Jocelyne Tétreault
Ma sœur plus jeune, mariée à J.-F. Nous avons partagé des
années d'adolescence, du cégep et des amis. Un amour.

Cinquième nuit

JEUDI 18 NOVEMBRE 2004

15. L'hôtel de Pierre Curzi

Je suis dans un hôtel rustique, nouvellement bâti avec plein
de petits salons dans les teintes de brun. Plein de passages,
de recoins, de niveaux, d'escaliers, larges et étroits. Des
petites salles de spectacle et des salles à dîner. Dans l'hôtel,
une garderie maison. Parmi les enfants : Noémie Thibault,
quand elle était petite fille et avait cette face haïssable.
L'hôtel est la propriété de Pierre Curzi, président de l'UDA.

C'est lui qui le gère, lui qui est l'hôte. Il en est très fier. Il est accueillant, chaleureux.

Mais il y a un hic. Sur le chemin pour se rendre à l'hôtel, on doit passer tout le long d'une gigantesque falaise de sable qui s'égraine.

Faut se protéger le crâne.

16. Combats extrêmes

Un lieu indéfinissable dans des teintes métalliques, dehors, près d'un édifice, le soir.

Il y a attroupement de jeunes. Ils se battent en combat singulier.

Violemment. Impitoyablement. Bagarres de rue extrêmes. Des spasmes de violence.

J'assiste à la scène sur les lignes de côté. Je suis en chemise blanche et cravate.

Une jeune femme aux cheveux blonds en uniforme policier s'approche de moi et me demande si je participe aux combats. « *Bien sûr que non.* »

Pour vérifier si je lui dis la vérité, elle me demande de lever les bras pour voir si j'ai de la sueur. Comme je n'en ai pas, ç'a été correct et on a jasé d'autre chose.

Je suis certain que c'est une policière, mais c'est une fille qui vend des ballons de fête.

17. L'escalier brisé

Autre lieu indéfinissable.

Un escalier roulant endommagé monte.

Les premières marches sont en mauvais état et éloignées des utilisateurs.

La seule façon de le prendre est de sauter.

Une fille toute petite, avec de très belles jambes, saute dans l'escalier, de dos ! Elle tombe assise sur l'escalier de métal, elle est saine et sauve.

Elle monte à l'étage.

Je reste au bas de l'escalier et je réfléchis.

Je suis trop chieux pour l'imiter.

NOUVEAUX PERSONNAGES

Noémie Thibault
Une petite voisine à Sainte-Thérèse, amie de Simon depuis la petite enfance.

Pierre Curzi
Acteur, président de l'Union des artistes.

Sixième nuit
VENDREDI 19 NOVEMBRE 2004

18. Monter
Une route de campagne qui monte.
Des arbres à gauche et à droite. La nature. Pour monter la route, il faut aller à pied. La route devient un escalier.
Plus on s'approche du sommet, plus les marches de cet escalier deviennent étroites. On peine à y poser un pied.
J'ai peur de ne pas être en mesure de me rendre en haut, où ma mère m'attend. Peur de perdre pied.
Je monte avec une dame et son fils qui sont très en forme parce qu'ils font beaucoup d'exercice. France attend en bas, assise sur le capot de la voiture.
Je réussis à me rendre en haut.

19. Jeu extrême
Deux équipes s'affrontent dans une partie semblable au ballon chasseur.
Il n'y a pas de ballon mais des projectiles assassins. Des missiles en feu de la dimension d'une balle de tennis.
J'ai peur qu'on me demande de jouer.
L'idée de recevoir un missile en feu dans le ventre m'indispose.
Je tente de ne pas me faire voir.
Parmi les joueurs, il y a Denis Talbot et Claude Legault.
Je trouve qu'ils ont des couilles.
J'ai été, malgré moi, pris pour participer.

Même partie, autre jeu : on lance plus de missiles, mais un bloc de bois en forme de melon d'eau.

20. Beau Dommage accompagné

Michel Rivard et Beau Dommage acceptent de donner un spectacle télédiffusé dans une église. Un show-bénéfice.
Un autre chanteur est frustré. Un country quétaine, vedette des marchés aux puces, cheveux gris peignés à la Elvis, 60 ans, convaincu d'être une grosse star. Il n'est pas content.
« Pourquoi c'est pas moi qui donne le show ? »

Magnanime, Rivard accepte que le vieux joue de l'orgue et l'accompagne du jubé, à l'arrière de l'église.
Beau Dommage est dans la sacristie, transformée en scène.
Rivard enchaîne deux chansons sans problème. À la troisième, le vieux chanteur country décide que c'est lui qui chante. Il ne se contente plus d'accompagner.
Rivard est décontenancé. Ça fausse.
Il fait signe à son *band* d'arrêter de jouer et de chanter une toune innocente et moqueuse, *a capella* pour forcer le vieux à se taire.
Le vieux se tait.

NOUVEAUX PERSONNAGES

Denis Talbot
Animateur à Musique Plus depuis toujours.

Claude Legault
Acteur et scripteur de talent.

Septième nuit

21. Bonne fête Benoît

C'est l'anniversaire de Benoît Brière.

Nous sommes dix personnes, deux femmes et huit hommes, à célébrer dans un restaurant. On y sert des rognons à la moutarde.

Monique Miller est une des filles sans être vraiment elle-même, comme tous les autres personnages. Ils sont eux, mais ne se ressemblent que vaguement.

Rémy Girard. Luc Guérin. Martin Drainville. Normand Chouinard.

Au centre d'une conversation : un film dont le personnage principal est un capitaine de bateau.

Tout le monde fume, même moi.

Pendant un moment, je me suis retrouvé seul à ma table.

Une fois le repas principal terminé, un groupe d'acteurs et d'actrices arrivent. Ils travaillaient au Monument-National, sur Saint-Laurent, ce soir. Ils sont plusieurs dizaines. Il y a soudainement beaucoup d'action, de mouvement, de bruit. Ils viennent fêter Benoît.

Dans le groupe, Suzanne Raymond et Roc Lafortune.

Une scène de film est alors projetée.

La toute première scène d'un film d'animation pour enfants, très coloré.

C'est un long plan séquence. La caméra file, ras le sol, à toute allure, dans un grand magasin de jouets.

Tout le monde s'entend : cette scène est géniale. Un classique du genre.

La caméra file entre les camions, les poupées, les jeux de construction.

De haut en bas, de droite à gauche.

La table est devenue très longue.

Ma belle-mère et moi sommes côte à côte à un bout de la table.

Je fais semblant de l'appeler au téléphone pour lui offrir un contrat de publicité. Je lui confie une campagne publicitaire à penser et à réaliser.

Elle joue le jeu. Nous rions comme des fous.

Tout le monde à la table trouve ça drôle.

Isabelle Maréchal vient d'arriver.

22. La guerre des crayons

Il est trois heures du matin.

Francis, Simon et moi avons nos chambres dans le sous-sol. Ils se disputent au sujet de crayons marqueurs noirs. Ils se lancent les crayons. Je suis dans ma chambre, seul, et je fume.

Comme je ne veux pas boucaner ma chambre, je sors.

Je ne veux pas non plus que mes fils me voient fumer. J'éteins ma cigarette et je mets le mégot dans la poche droite de ma robe de chambre, la salissant.

23. Des pantalons pour Félix

J'ai un pantalon neuf en velours côtelé jaune moutarde.

Je découpe le bas du pantalon au ciseau pour les ajuster et je les donne à Félix. Il les aime beaucoup.

24. Promenade avec François et Mario Dumont

Mario Dumont, François Roy et moi revenons de Trois-Rivières en marchant, pieds nus.

Rue Saint-Laurent, on entend une chanson de François Pérusse. Dès la première écoute, nous la connaissons par cœur tous les trois. La musique de Pérusse est à ce point géniale qu'elle s'imprime immédiatement dans la mémoire.

Nous croisons un attroupement de Noirs. Ils nous demandent de l'argent.

Ce n'est pas une gang de jeunes, c'est une famille dans le besoin.

Il y en a de tous les âges.

François nous fait jouer à un quiz de connaissances de chansons américaines. Je suis incapable de répondre.

Dumont, qui a déjà triomphé à *Génies en herbe,* me clenche.
Il n'y a plus d'espace dans ma mémoire et je trouve ça
dommage.

Nous arrêtons à une roulotte à frites.
Je dois passer sous une table de pique-nique.
Sous la table, il y a un pot rempli de térébenthine, de vieille
peinture et de pinceaux. Je le renverse.
Le propriétaire met de la bière sur ma gaffe pour ne pas que
ça endommage la pelouse. Il fait aussi couler de la bière sur
moi.
Dans la roulotte à frites, un haut-parleur nous renvoie des
vieilles chansons des Beatles. Avec ma bouche, j'imite
parfaitement le son de la guitare d'intro dans la chanson
I Saw Her Standing There.

Au même moment, France est chez nous avec ma mère.
Elles rangent une table. Une grande table de bois qui se plie
toute seule quand elle passe dans une porte. Comme si elle
pouvait penser.
La nappe est encore sur la table.
J'arrive et il y a une chicane entre France et moi.
Immédiatement, les cris.
Ma mère est ébranlée. Moi aussi, et je la prends dans mes
bras.
Elle a les bras tous doux.
Je rappelle à France qu'on doit retourner souper à Trois-
Rivières. D'autant plus que j'y ai oublié mes souliers de
course et l'auto bleue.
France est enragée de voir que je n'ai pas de tête. Elle me
prend à la gorge.
Elle me lâche et me dit qu'elle doit parler à son père.
Je lui demande si je pourrai me joindre à la discussion.
« *Non.* »

NOUVEAUX PERSONNAGES

Benoît Brière
Acteur de talent. L'inoubliable Monsieur Bell à 100 faces.

29

Monique Miller
Actrice depuis 50 ans.

Rémy Girard
Acteur de talent de Québec. Une vie parsemée de drames.

Luc Guérin
Chic acteur avec qui j'ai partagé une belle année de télé.

Martin Drainville
Acteur. Plus secret que Luc, aussi gentil.

Normand Chouinard
Acteur. Un ami de Guérin, de Drainville et de Girard.

Suzanne Raymond
Une amie d'enfance. Je l'ai connue quand elle avait six ans.

Roc Lafortune
Acteur québécois, il faisait le drogué dans *Les Boys*.

Ma belle-mère Françoise Cardin
La mère de France, une petite blonde, qui a le grand talent d'être heureuse.

Isabelle Maréchal
Animatrice. Jolie blonde. Snobinette.

Francis Tétreault
Mon fils lanceur gaucher, planchiste. Toujours dans la lune, âme généreuse. Il a des millions d'amis et d'amies. Le plus fin, dit sa mère. Né le 3 octobre 1986. A survécu à la méningite. Un de mes trois meilleurs amis.

François Roy
Je l'ai connu à la radio en 1975.
Il est un guide et un exemple. Une présence rassurante. Amateur de balle et d'oiseaux. Ami pour toujours.

Mario Dumont
Chef de l'Action démocratique du Québec.

François Pérusse
Vieux copain. Caricaturiste radiophonique. Un asocial timide.

Maman (Henriette Tétreault-Bélec)
Ma mère. Une sainte femme. Elle ira au paradis sans escale.
Née le 14 octobre 1925.

Jean-Marie Courteau
Mon beau-père. Chasseur, pêcheur. Sensible. Grand ami de
Simon.

Huitième nuit
DIMANCHE 21 NOVEMBRE 2004

25. Une partie de balle-molle
Je marche tout près d'un parc avec une autre personne.
Il y a une partie de balle-molle à laquelle participe
Martin Fiset.
Martin a un chandail rouge aux manches blanches.
« *Viens jouer, Christian.* »
J'accepte.
L'avant-champ est parfait, mais il n'y a pas de champ
extérieur.
Il y a une dénivellation de six ou sept pieds entre l'avant-
champ et le champ extérieur. Le champ extérieur est un
terrain vague, plein de roches, de gazon long, de buttes, de
trous. Je suis voltigeur et la tâche est impossible.
En plus, j'ai un bras trop puissant et imprécis.
Je réalise que, parmi les joueurs, il y a deux de mes oncles,
André et Fernand. Ils sont dans les rouges et contents de
me voir arriver.
Tout près du terrain de balle, il y a une petite maison.
J'entre.
La lumière est tamisée et les murs en planches rougeâtres.
Éric Gagné est là, mais il a le visage de Jonathan
Bissonnette.
Éric s'en va faire du parapente. C'est un sport qu'il pratique
depuis quelques semaines. Depuis qu'il s'adonne au
parapente, il ne m'a plus vu dans ses rêves. Il ne voit plus
que ses ailes.

26. Pendant le Gala des Gémeaux

Un très long et très large corridor, sans fenêtre.
Ça ressemble vaguement à un corridor de sous-sol
d'aéroport, en plus vaste, en plus vide. Très ciré, luisant. Il
mène à un studio de télévision où nous enregistrerons le
Gala des Prix Gémeaux.
Je suis sur le dos et je glisse dans le corridor, actionné par
un moteur à piles. Je laisse une trace derrière moi, comme
s'il y avait une mince couche de neige ou de poussière. À la
façon des lugeurs, mais à l'envers.
Je peux donc voir le chemin parcouru, mais jamais le
chemin devant.

Maintenant debout, je croise André Robitaille.
Il a apporté avec lui un sketch pour une présentation de
trophée.
C'est lui qui l'a écrit. Durée : trois minutes.
Je ne lui en parle pas. Il est avec Martine, sa blonde.
Le lieu est devenu un hôtel.
Je suis avec une autre personne, un mélange de Charles
Benoît et de Mario Bourdon. Nous allons dans le petit local
où on s'assoira pour suivre le Gala et apporter les
corrections ou les changements de dernière minute.
Ce n'est pas une chambre, c'est un tout petit cagibi de rien,
grand comme un placard à balais. Une table longe les murs.
Elle a été installée avec des moniteurs et des ordinateurs. Je
m'installe au fond.
Je vois qu'il y a un sac qui traîne. Je regarde dedans.
Il y a des savons Irish Spring, en paquets de trois.
Au début, c'est tout ce que je vois dans le sac, puis il y a
d'autres éléments inutiles et inintéressants qui se rajoutent.
Je vole un paquet de trois savons.
J'espère que personne ne m'a vu.
Des fois, comme ça, je prends des risques ridicules.

27. La ronde dans un hangar

Des vieilles dames qui parlent français en sont à leur
premier voyage en Californie. Elles sont disposées en demi-

cercle dans le hangar d'un aéroport de Los Angeles, juste en face de l'Île-du-Prince-Édouard.

Le centre de l'île est un quartier français qui rappelle Brossard.

28. Ongles sales

Je cherche à nettoyer mes ongles. Je trouve un truc extraordinaire.

Une spatule qui réussit à enlever les saletés, en grosses galettes.

Je vois la scène à travers un microscope.

29. Grands maîtres et fonds de placards

Dans un musée, je visite les œuvres célèbres des grands peintres.

Les œuvres sont exposées dans des placards en bois foncé. On doit ouvrir les portes pour les voir, affichées dans le fond des placards.

NOUVEAUX PERSONNAGES

Martin Fiset

Président des Artilleurs de Sainte-Thérèse, Junior BB, l'équipe de Francis.

Oncle André Tétreault

Le frère de mon père, mon oncle favori. Mon voisin pendant mon enfance. Né en 1930.

Oncle Fernand Tétreault

Un autre frère de mon père. Dentiste. Un homme bon. Né en 1925.

Éric Gagné

Mon lien avec le baseball majeur. Le numéro 38 des Dodgers de Los Angeles. À qui je parle depuis cinq ans.

Jonathan Bissonnette

Jeune coéquipier de Francis avec les Artilleurs de Sainte-Thérèse.

André Robitaille

Acteur, animateur, rouquin, avec qui j'ai travaillé sur *Ce soir on joue.*

Martine Francke
Actrice, maman, blonde d'André Robitaille.

Mario Bourdon
Producteur du Gala des Gémeaux 2004.

Neuvième nuit
LUNDI 22 NOVEMBRE 2004

30. Fromage fondu
Mitsou est mariée avec mon cousin Robert, propriétaire
d'un gros supermarché. Un couple étrange.
Il doit avoir des qualités que je ne connais pas.
Ils marchent et cherchent à contourner un édifice pour
aller rejoindre d'autres personnes. Ils croisent un vieux
monsieur qui tire une charrette. Dans la charrette, il y a du
fromage partiellement fondu.
Il faut l'apporter plus loin pour le faire frire dans une
casserole rectangulaire. Mitsou dirige le monsieur
impatiemment.
Elle lui crie par la tête.
Le monsieur, bousculé, dit :
« *Je ne veux pas être un biniou, moi, madame !!!* »

Qu'est-ce que c'est un biniou ?
Dans le dictionnaire de l'inconscient, un biniou, c'est un
monsieur qui ne sait rien faire d'autre que de transporter
du fromage.

31. Le soutien-gorge vert
À une table de restaurant, il y a une fille et deux gars.
La fille a un soutien-gorge vert lime et rien d'autre.
La moitié du haut du soutien-gorge est en filet de plastique,
comme les casquettes quétaines.
Un des gars fait une farce plate sur la brassière.

32. Un trio dynamique

Je joue au hockey.

Je complète un trio avec Jean Béliveau et Yvan Cournoyer.

La glace est de belle qualité et l'aréna est dans un style futuriste, sans estrade.

Pour des raisons hors de mon contrôle, je ne peux pas jouer de mon côté naturel, gaucher. Je dois jouer comme droitier et, en plus, mon bâton est beaucoup trop court. Je me retrouve souvent dans une situation de hors-jeu.

Béliveau me fait des belles passes et, de peine et de misère, je déjoue le gardien adverse à sa gauche.

Un petit lancer innocent trouve le fond du filet.

NOUVEAUX PERSONNAGES

Mitsou Gélinas

Vedette de la chanson, femme d'affaires, animatrice. Amie avec qui je travaille tous les matins sur Énergie.

Jean Béliveau

Un des plus grands joueurs de l'histoire du hockey.
Capitaine du Canadien dans les années 1950 et 1960.
Le Gros Bill.

Yvan Cournoyer

Ancien capitaine du Canadien, années 1960 et 1970.
Le Roadrunner.

Dixième nuit

MARDI 23 NOVEMBRE 2004

33. Deux vieux à Sainte-Monique

Dans le village de Sainte-Monique.

J'entre dans une maison où il y a deux vieux, un petit et un grand.

Ils ont des lunettes à grosse monture noire. Ce sont des francophones mais ils parlent en anglais. Ils me demandent qui je suis.

« *Je suis un Desjardins.* » (Je prononce « *Desjardins* » à l'anglaise.)

Ils sont très contents et m'invitent à marcher avec eux, dans le village.

Le plus petit marche trop près de moi, derrière.

J'ai l'impression qu'il veut m'enculer et ça me tape sur les nerfs.

Ils prennent des nouvelles des gens de la parenté.

« *Comment va Louise Courteau ?* »

Je ne connais pas de « Louise Courteau ».

34. Fourgonnette

Dans une fourgonnette, il y a France, Francis, Simon et moi. Devant nous, un croisement de voies rapides. Des viaducs dans toutes les directions. Enchevêtrés. Il y a trop d'options. Je suis fourré. Je n'ai pas le temps de décider. Il faut prendre le boulevard Pie-IX vers la campagne et non vers la ville, mais les indications ne sont pas claires.

Juste avant d'arriver à ce carrefour, je débarque de la fourgonnette.

Je panique, je ne dois pas me tromper.

Je veux aller voir de plus près et décider si on doit tourner à gauche ou à droite.

Quand je reviens au véhicule, il est sur un *lift* de garage. Les problèmes s'accumulent. Il faut le débarquer de là.

Francis veut essayer, mais je juge la manœuvre trop délicate et je prends le volant. Tant bien que mal, je réussis.

En passant tout près d'un garage (dont je connais les deux propriétaires portugais), j'accroche une rampe de bois qui leur appartient et je la brise.

Je veux aller les avertir de ma gaffe, mais France s'y oppose. Elle pense qu'ils vont me demander de l'argent, ou pire : me battre.

J'y vais quand même, par souci d'honnêteté envers les Portugais.

Un d'eux m'attend.

« *Ce n'est pas la première fois que la rampe se brise. Pas grave.* »

Ils ne sont pas fâchés.
Je suis fier de moi.
Je suis sain et je suis sauf.

35. Chier en duo
Je suis assis sur un bol de toilette et j'évacue.
Juste à côté de moi, une fille est aussi assise. Même occupation.
Malgré la situation, il n'y a aucune gêne.
La fille, une rousse teinte, me parle.
« Est-ce que c'est normal que je sois plus efficace sur mon ordinateur à la maison que sur un autre ordinateur ?
— Oui, c'est normal. »
J'utilise beaucoup de papier et je ne le jette pas dans le bon trou.

Une fille blonde aux cheveux courts arrive.
Elle va dans un bureau juste à côté d'où ma sœur Jocelyne travaille.
Elles discutent en japonais.

NOUVEAU PERSONNAGE
Sainte-Monique
Village de Mirabel, mes aïeux du côté de chez mon père en sont originaires.

Onzième nuit
MERCREDI 24 NOVEMBRE 2004

36. Réal TV
Réal Béland est l'animateur du nouveau talk-show de fin de soirée à TVA.
L'ouverture de son émission est particulière.
L'image est sur le côté. Comme si toutes les caméras étaient dans le sens horizontal.

Il fait une chanson d'ouverture avec plein de jeux de mots avec «bizoune». La chanson se termine quand il dit qu'il n'est jamais allé à l'école, sauf à l'école de ses parents.
Pris pour étudier avec des vieux.

L'émission d'hier s'ouvrait sur un sketch préenregistré.
Réal et Stéphane Lefebvre vont dans une maison de banlieue au hasard.
Puis ils entrent dans une camionnette où tous les membres de la famille doivent passer une audition sans avertissement.
Tous passent le test.
Tous, sauf Stéphane. Il ressemble trop au papa.

37. Vitre cassée
J'ai la bouche pleine de vitre cassée que je vais recracher dehors en passant par la porte derrière le garage.
J'ai beaucoup de vitre en bouche. De minuscules morceaux gros comme des pois. Je crache dans la haie.
Quand j'ai tout craché, ce qui est long, je reviens à l'intérieur et je croise Chico, à la porte.
Il s'en va dans la rue, se peigner.

38. Réception, tabac et Véro
Dans une petite maison d'amis, il y a des invités.
Je les quitte un moment, hypocritement, et je fouille à l'aveuglette dans les poches de plusieurs vestons empilés sur une patère.
Je veux des cigarettes.
J'en trouve dans le veston de Steve Van Zandt.
C'est un «petit» Du Maurier. J'en prends deux et je remets le paquet dans le veston. Il y a aussi sur la patère le porte-monnaie de France, son gros qui ressemble à une sacoche.
Il est brisé. Un bouton-pression défectueux.

Véronique Cloutier, qui a accouché hier, est dans la maison. Elle est dans une forme physique et mentale tout à fait étonnante.

Tellement que je ne réalise pas avant quelques heures qu'elle vient de donner naissance à un petit garçon.

« *Coudonc, c'est vrai ! T'as accouché, toi, aujourd'hui... ?* »

Elle, à voix basse :

« *Oui, c'est vrai. Mais on n'en parle pas, ok ? Je suis fière de mon mari.* »

Surprise : son mari n'est pas Louis Morissette, mais le golfeur Carl Desjardins. Elle est fière de lui à cause de son poids. 70 kilos.

En rêve, 70 kilos, c'est 210 livres.

Carl :

« *C'est normal d'avoir maigri, je suis allé jouer au volley-ball en Écosse.* »

39. Agrandir la cour

J'ai dit à France que la meilleure façon d'agrandir sa cour arrière était de tondre le gazon au milieu. Ce que nous n'avons jamais fait.

Je me demande pourquoi.

Puis je vois qu'il y a une boule de plastique bleue, grosseur balle de tennis, plantée au milieu de la cour. Il faut y faire attention.

40. *Brainstorm* et golf

Dans les bureaux de Slik, une rencontre de *brainstorm* avec Chico et Mario Branchini, suivie d'une partie de golf dans les Laurentides.

Véronique Cloutier tire mon sac.

Nous avons un autre partenaire et je ne sais pas qui c'est.

Guy Cloutier est dans une file d'attente, juste à côté.

Il attend pour jouer à son tour.

René Angélil, aussi dans la file, fait une blague à Guy Cloutier.

« *Oublie pas, Guy : t'as pas le droit de te sauver, faut que tu restes en ville.* »

Cloutier rougit sans répliquer.

Juste avant que je ne parte jouer, Cloutier me félicite pour mon émission.

« Quelle émission, Guy ? J'ai pas d'émission. »

Mon sac de golf est tout croche. Mes bâtons sont tout croches. En plus, je suis pogné pour jouer avec une boule de gomme.

Pourtant, je viens à peine de trouver une cinquantaine de balles de golf dont je me suis bourré les poches. J'ai trouvé toutes ces balles dans un tout petit espace de gazon de six pouces de large par deux pieds de long.

Les balles sortaient du gazon, une après l'autre.

Deux Anglais se joignent à nous.

Le temps est magnifique.

Pour se rendre au départ du deuxième trou, on doit passer sur le terrain d'un grand parc public qui ressemble aux Champs Élysées, mais à Blainville.

Plein de gens marchent dans toutes les directions. S'aiment. Douceur du temps. Des vélos, des enfants, des vieux.

NOUVEAUX PERSONNAGES

Stéphane Lefebvre

Le gros copain de Réal Béland. Son faire-valoir, son partenaire, son frère. Humoriste sous-estimé.

Chico (Alain Chicoine)

Le dernier né de mes vrais amis. Réalisateur de grand talent. Un frère, papa de trois beaux enfants.

Véronique Cloutier

Animatrice vedette. Bonne fille. Bonne mère.

Steve Van Zandt

Acteur américain, humoriste, musicien, il joue le rôle de Silvio dans *Les Sopranos*.

Louis Morissette
Humoriste. Scripteur. Concepteur. Le mari de Véronique Cloutier.

Carl Desjardins
Golfeur professionnel québécois. Planté solide.

SLIK
La compagnie de Chico. Studio de montage. Boîte de réalisation.

Mario Branchini
Ami, vieux chum de Chico. Réalisateur italien au sang chaud.

Guy Cloutier
Producteur.

René Angélil
Gérant et mari de Céline Dion. Comique.

Douzième nuit
VENDREDI 26 NOVEMBRE 2004

41. Perdu au pensionnat
C'est le soir.
Je suis pensionnaire dans un collège.
Je suis perdu dans les corridors. Je cherche d'abord une classe de français que je ne trouve pas. Je dois sortir du collège et y revenir.
Cette fois je cherche le dortoir.
Je le trouve, mais je ne me souviens plus où est mon lit.
Au collège, je joue pour une équipe de football qui s'appelle les *Tough Clouds*, les durs nuages.

42. Tennis avec le patron
NOTE *Chaque fois qu'une petite fille apparaît dans un rêve, je suis heureux.*
Je me réveille avec une agréable sensation de bien-être.
Pourquoi ? Attendez le rêve 220, vous comprendrez.

Je suis sur un court de tennis derrière l'école secondaire
Saint-Martin à Laval avec Serge Amyot et Jacques Parisien.
Avant de commencer à jouer, nous avons besoin d'une
montre, mais nous n'en avons pas. Jacques vient de se
souvenir qu'il y avait une montre dans la poche de son
pantalon. Le même pantalon qu'il a jeté, avec sa chemise et
sa cravate, il y a quelques minutes, dans une poubelle de la
rue Trépanier, non loin de l'école. Une grosse poubelle, au
milieu de la rue.
Nous embarquons dans sa très longue Cadillac pour
chercher la montre.

En se rendant sur place, nous croisons une petite fille de
quatre ans et sa mère qui marchent, main dans la main. La
petite fille est en uniforme de cadet de l'air et imite
parfaitement une sirène de police.

Jacques fait un virage en U et nous ramassons la montre
dans la poubelle, sous les regards de plusieurs enfants
curieux.
Nous revenons et échangeons quelques balles.
Nous en avons deux sortes. Des blanches, comme dans le
temps, et des très vieilles, sans poils.
Bob Collin est dans les spectateurs, il a un énorme sous-
marin.
J'ai faim, mais je suis trop gêné pour lui demander de
partager.

43. Tache de café

Je suis chez François à Trois-Rivières, attablé avec son fils
Matthieu, animateur du matin à Énergie.
Matthieu porte un chandail plein de taches de café.
« *Matthieu, ton chandail est sale.*
— *Je l'aime comme ça, mon chandail.* »
François s'assoit avec nous.
Je lui dis que j'ai entendu chanter un oiseau rare. Un
« prohon ».
François me regarde, interrogatif.

44. Chez mademoiselle Bolduc

Je vais conduire France à un rendez-vous dans la maison de mon ancienne institutrice de quatrième année, mademoiselle Bolduc.

France a un traitement épidermique donné par une vieille dame.

Je la laisse et retourne à la maison.

Nous demeurons dans la maison de mes parents, terrasse Pilon à Saint-Martin. En chemin, je vois, au loin, mon cousin qui s'apprête à sortir de son entrée de garage dans une vieille Previa de Toyota, couleur cuivre.

Il va tondre des pelouses.

Je ne veux pas le voir, je ne veux pas lui parler.

Alors, je reviens sur mes pas et retourne chez mademoiselle Bolduc.

Je demande à France où elle veut aller souper. Elle ne sait pas. *«Faudra faire vite, je dois aller au Théâtre St-Denis, pour les Gémeaux. »*

Je retourne chez nous.

Je réalise que la terrasse Pilon est devenue une pente très abrupte qui monte. Il y a trois vieilles dames qui poussent des tondeuses dans la côte.

Si j'étais gentil, je les aiderais. Mais je ne peux qu'en aider une.

J'aide la dame à gauche.

Les vieilles dames se transforment en jeunes femmes.

Comme pour me récompenser de ma bonne action.

La jeune femme que j'aide me parle en anglais, même si elle est francophone. Elle est originaire du Labrador et habite sur le carré Saint-Louis.

Elle a les cheveux noirs aux épaules.

Une fois rendu chez moi, je lui remets sa tondeuse.

Elle me remercie et m'embrasse.

La deuxième femme m'embrasse aussi.

Après avoir hésité par gêne, la troisième veut m'embrasser, mais je suis rendu sur le balcon. Je redescends les escaliers et l'embrasse.

Une pensée traverse mon esprit ludique.

« À 50 ans, je ne me priverai pas de ces jeunes lèvres. »

J'entre à la maison. Simon est à table, il mange.

Il y a plein de messages collés sur la porte de côté. Je les ignore.

45. Une danse dans mon salon

Dominique Chaloult et son mari (Pierre Arcand) sont dans mon salon et veulent danser. Je suis écrasé sur le divan, mort de fatigue.

Dominique demande à Félix de faire jouer de la musique de danse. Pierre A. veut une vieille chanson des Beatles. Félix met le CD, mais est incapable de le faire fonctionner. Dominique tente à son tour, pas plus capable. Je me lève péniblement et je réussis à faire jouer le CD.

La danse commence.

La sœur de Dominique Chaloult, que je ne connais pas, apparaît dans le salon et danse avec eux, toute souriante, toute gaie. Elle n'a pas de nom et n'a pas de visage. Je ne l'ai jamais vue.

Plus tard, je lui demande si elle veut rester pour prendre un café.

Je réalise que j'ai mis de l'eau chaude dans la cafetière et j'ai peur de l'empoisonner. France m'a dit que l'eau chaude pouvait favoriser les bactéries.

Je suis trop paresseux pour changer l'eau.

Ce n'est pas très grave, puisque la sœur de Dominique ne veut pas prendre de café.

« Le café me fait pleurer. Ça me fait toujours penser à Québec, et il y a un souvenir de Québec qui m'écorche l'âme... »

Je n'ai pas osé lui demander plus de détails.

46. Moyen-Orient : l'explosion d'un camion

Je vois la scène en plongée de très loin, comme si j'étais dans un hélicoptère silencieux. Un gros camion transporte de l'essence et explose au Moyen-Orient.

Regardons la reprise.

Le camion entre par une large porte dans une clôture Frost de huit pieds de haut. Un immense terrain vague délabré, abandonné.

Le camion s'arrête et on voit une étincelle, un court-circuit sous le capot.

Le chauffeur sort en vitesse du camion, se sauve.

Il va rejoindre le gardien de la cour. Le camion explose dans un fracas total.

Le chauffeur est blessé, il était trop près de l'explosion.

NOUVEAUX PERSONNAGES

Serge Amyot
Ancien journaliste du *Journal de Montréal*. Spécialiste de football.

Jacques Parisien
Président d'Astral Radio et d'Astral Affichage. Un ami. Un brillant.

Bob Collin
Producteur à Énergie, homme inspirant, bon père de famille.

Matthieu Roy
Le fils de François, mon meilleur ami. Animateur à Énergie Trois-Rivières.

Mademoiselle Bolduc
Mon professeur de quatrième année. Jolie femme aux cheveux noirs.

Dominique Chaloult
Grande patronne des variétés à Radio-Canada.

Pierre Arcand
Mari de Dominique Chaloult, président de CKOI.

Treizième nuit

47. Trois chiens et un soldat

Un cocktail dans un autre endroit très vitré.

Comme un chic chalet de golf.

Je suis avec Mario Tessier. Mario, un ancien soldat, sort en vitesse de la salle de réception pour courir après trois chiens.

Un chien enragé qui court après deux autres.

Les deux chassés se transforment graduellement en hamsters. Mario veut sauver les hamsters d'une mort certaine. Pour ce faire, il doit braver le chien enragé. Mission accomplie.

Les deux hamsters sont dans la salle, sécurisés, et le chien enragé est bloqué derrière la porte close. Nous avons peur que quelqu'un ne lui ouvre la porte. Stress. Le chien parvient à entrer.

Tout le monde a peur.

Certains figent, certains crient. Le chien enragé se transforme graduellement en un tout petit toutou encore humide du placenta de sa mère.

Il suce un morceau de viande à fondue.

48. Cocktail des Gémeaux

Plein de vedettes. Dans la foule de chics, Janette Bertrand. Elle est peignée tout croche, les cheveux très longs en broussaille.

Toutes les femmes ont des coiffures affreuses.

Je demande à Guy Fournier de commenter. Il est assommé.

Il y a une toute jeune maquilleuse aux yeux bleus très pâles. Elle porte une robe verte et des cheveux roux. Elle est à sa table de maquillage et me regarde, la tête tournée.

Je pense la connaître mais non, je ne sais pas qui elle est.

Plus loin, Hélène Lussier me montre une liste de problèmes sur une page de calepin. Elle croise Jocelyn Barnabé, qui l'engueule.

49. Retour dans le temps

France a installé huit horloges sur le côté extérieur de la porte de notre chambre. De notre lit, on voit le mécanisme des huit horloges, qui sont dans une grappe, coin en haut à gauche de la porte.

Les enfants jouent dans une petite salle de jeu.
Ils sont revenus dans le temps.
Félix a 10 ans, Francis, 7 ans et Simon 5 ans.
C'est formidable de les revoir comme avant.
J'appelle France.
« *France, France, viens voir les gars, viens voir si y sont beaux!* »
On les regarde, on est bien. Ils s'amusent.
Félix nous fixe.

50. Rivière chaude

Faye, la petite fille d'Éric Gagné, traverse une petite rivière. Elle n'est pas très profonde, l'eau est chaude, mais il y a du courant.
Elle va rejoindre son père sur l'autre rive.
Je suis debout dans la rivière et je la surveille.

NOUVEAUX PERSONNAGES

Mario Tessier
Une des deux *Grandes Gueules,* ancien militaire. Fou. Ami.

Janette Bertrand
Auteur. Bonne amie. Intense. Refuse de vieillir.

Guy Fournier
Président des prix Gémeaux. Auteur. Né en 1932.

Hélène Lussier
Assistante à la réalisation Gémeaux 2004. Elle ressemble à une petite Italienne. Fine.

Jocelyn Barnabé
Réalisateur du Gala des Gémeaux. Réputation exceptionnelle. Doux. Marginal.

Faye Gagné
La petite fille d'Éric Gagné.

Quatorzième nuit

51. Perdre le contrôle
J'ai caché dans mon bureau, au sous-sol, une petite assiette de métal remplie de marijuana égrainée.

Simon entre dans mon bureau, il a en mains des vieux paquets de papier à rouler, vides et déchirés.

Avec une mine réprobatrice, il les jette à la poubelle et me dit :

« *J'ai trouvé ça. Je suis venu voir si tu cachais autre chose d'intéressant…* »

Je ne veux pas qu'il voie mon assiette. Mais il la voit.

Je le fous dehors du bureau. Et je fais une crise.

Entendant les cris, Francis arrive.

Je les engueule tous les deux comme un fou.

Je perds le contrôle.

Je suis malheureux.

52. Luck Mervil, quart-arrière
Je regarde une partie de football sur le terrain juste à côté de l'église Saint-Martin. Là où je jouais moi-même au *touch football*, quand j'étais jeune.

Luck Mervil est le quart-arrière d'une des deux équipes.

Il fait une magnifique passe de 20 verges à un de ses coéquipiers.

Je change de place dans les estrades pour suivre le ballon, comme si j'étais une caméra de diffusion.

Il y a la statue de la Vierge au bout du terrain.

53. Barbe longue
Je regarde une émission de télévision avec Suzanne Raymond.

Elle m'embrasse et trouve que ça pique parce que j'ai la barbe longue.

C'est son émission favorite. Ça raconte la vie de cinq petites filles.

Sa petite fille favorite, la plus jeune, a des lunettes. Suzanne attend toujours de savoir ce qu'elle fera pendant l'émission. Mais la petite ne fait jamais rien. Frustration.

54. Ginette et Fernand

Au Théâtre St-Denis, je suis dans une toute petite loge et je regarde le Gala des Gémeaux sur un moniteur avec François Carignan.

Soudainement, je suis sur la scène et c'est Ginette Reno qui me remplace dans la loge. Nerveux, pris de court, je fais une blague en affirmant que Ginette a déjà baisé avec Fernand Gignac.

En sortant de scène, Ginette m'approche. J'ai peur de sa réaction, mais elle me dit que ce n'est pas une blague, qu'elle a effectivement baisé avec M. Gignac.

Ginette saute sur un photographe et lui arrache son appareil photo.

Elle veut prendre ma photo. J'accepte à une condition : qu'il y ait une vitre entre l'appareil et moi. Je m'en sauve, il n'y aura pas de photo.

Jean Guimond m'accroche.

Il veut que je fasse partie d'un spécial Ginette Reno.

Il veut que je raconte l'anecdote quand Mme Reno m'a faussement accusé de pisser en public sur une serviette blanche pliée en quatre.

55. Au téléphone avec Félix

Je parle avec Félix. Le téléphone va mal. J'entends difficilement. Il ne veut pas que j'aille souper avec lui et ses amis.

France entend la conversation et se demande de quoi on parle.

NOUVEAUX PERSONNAGES

Luck Mervil
Chanteur né en Haïti.

François Carignan
Producteur du gala des Gémeaux. Il a de l'esprit et beaucoup de vécu. Ami amusant.

Ginette Reno
Chanteuse vedette.

Fernand Gignac
Chanteur crooner qui a toujours eu l'air vieux.

Jean Guimond
Ami de longue date. Ancien réalisateur. Adjoint variétés à Radio-Canada.

Quinzième nuit
MARDI 30 NOVEMBRE 2004

56. Un vaste trou
NOTE *Pendant quatre ans, j'ai travaillé avec Marie-Soleil Tougas, dans un contexte particulier (Opération Enfant Soleil). J'ai beaucoup aimé cette fille explosive, créative, intense qui aimait le danger.*
Quand elle est apparue cette nuit. J'étais content de la revoir.

Un énorme trou se creuse.
C'est un mégachantier de construction. Le trou est juste à côté d'un terrain de golf, non loin du parc Ahuntsic dans le nord de Montréal.
Je dois en faire le tour et c'est très long. Des kilomètres.
Plus j'avance et plus l'espace pour marcher à côté du trou est étroit.
C'est inquiétant, il ne faut pas que je perde pied.
Dans le trou, il y a des travailleurs casqués jaune.
Un de ces travailleurs est Francis Reddy. Il est avec Marie-Soleil Tougas.

Il y a plein d'échelles, de camions et de lignes à haute tension dans le trou.

Ma sœur Jocelyne me suit de près et ça m'inquiète.

Comme elle n'est pas très athlétique, j'ai peur qu'elle ne tombe.

Mais elle tient à parler à Marie-Soleil.

57. Chicane avec Mario C

Dans un cocktail à Radio-Canada, je rencontre Mario Clément.

Je l'engueule.

« Pour qui tu te prends, salaud ? Ça fait quatre messages que je te laisse. Peux-tu avoir la décence de me rappeler, estie de pas de classe ?

— Pourquoi je te rappellerais ? À chaque fois que t'as l'occasion, tu me ridiculises en public.

— Jamais ! J'ai jamais fait ça ! C'est faux. »

Sa blonde, Josée di Stasio, s'interpose.

Elle ne veut pas que je sois trop sévère avec Mario et elle pleure.

« Christian, arrête s'il te plaît !

— Il ment, ton chum, Josée. Il ment.

— C'est toi qui mens. Tu dis à tout le monde que je travaille comme un pied.

— Pas vrai. Ta seule erreur, c'est le jeudi soir, elle est là ton erreur, baquet. »

Je faisais allusion à Chasse à l'homme.

58. Dans la nature avec mon père

Papa et moi marchons tranquillement dans un champ de fleurs, tout près d'une vieille école, à Sainte-Monique.

J'ai un vieux modèle de fusil avec un canon rond d'un pouce de diamètre. Une guêpe tourne autour de ma tête. Je détecte qu'elle veut entrer dans le canon du fusil et je tente de l'attirer.

Je réalise qu'une quarantaine d'autres guêpes me tournent autour.

Je m'éloigne en laissant sur place la carabine, plantée dans le sol, canon vers le haut. Je regarde la scène.

Quelques guêpes entrent dans le canon, comme s'il y avait des fleurs dans le fond. Il faut quitter, la voiture est là, juste à côté.

Dans la vieille école, je retrouve mon porte-documents brun. Mon ordinateur est dedans, intact. Il a passé 24 heures là, à la vue de tous, contre le mur d'un corridor d'école, et personne ne l'a volé.

Je trouve un porte-monnaie qui ne m'appartient pas.

Je le prends. Je regarde dedans sans voir ce qui s'y trouve.

Je ne sais pas non plus ce que j'ai fait avec.

Dans ma tête, un combat.

59. Vieux char et voisin

Je suis au volant d'une vieille Plymouth 1968, manuelle.

C'est la voiture de notre voisin d'en face, Claude.

Nous sommes trois : Claude, France et moi. Nous montons dans le nord. Un segment de la route est en reconstruction. Difficilement praticable, plein de trous, de bosses et surtout de cailloux.

Je fonce.

60. L'officier italien

Je monte une pièce de théâtre.

Le rôle principal est un grand officier italien du XIXᵉ siècle.

Christian Hamel avait eu le rôle la première fois qu'on l'a montée.

Le premier acte se termine par un long monologue à la fin duquel l'officier donne des coups de cravache sur l'épaule d'une femme qui porte une très belle robe bleu ciel, une dame de la noblesse.

Nous rejouons la pièce ce soir.

Cette fois, Pierre Lebeau joue l'officier.

La pièce est à 20 h, et il est 18 h 30. Il n'a jamais vu son texte, ne l'a même jamais lu. Nous savons que son interprétation sera géniale. Il a toujours travaillé de cette façon-là. Il aime apprendre ses rôles à la toute dernière minute.

Tout le monde est impressionné et tout le monde a confiance. Sauf moi.

NOUVEAUX PERSONNAGES

Francis Reddy
Ami. Animateur avec qui j'ai longtemps participé à Opération Enfant Soleil.

Marie-Soleil Tougas
Ancienne animatrice et amie, décédée dans un accident de petit avion en août 1997.

Mario Clément
Vice-président de la programmation à Radio-Canada. Je le connais depuis plus de 10 ans. Bouillant caractère.

Josée di Stasio
Animatrice d'émissions de cuisine à Télé-Québec. Délicate.

Papa (Jean-Guy Tétreault)
Né en 1926 à Rosemont. Mon père et ami. Un homme exemplaire par sa droiture et son honnêteté.

Claude Charlebois
Mon voisin d'en face, concessionnaire d'eau de source. Gaillard.

Christian Hamel
Animateur à Météo Média, j'ai travaillé avec lui à CKOI.

Pierre Lebeau
Acteur de grand talent. Marginal. Fou.

Seizième nuit
MERCREDI 1er DÉCEMBRE 2004

61. Chier dans une boîte ronde
Je suis dans un salon avec Tony Soprano, le gros Bobby, Sil et mon cousin Robert. On doit quitter les lieux.

Incapable de me retenir, je chie dans une boîte de métal ronde avec couvercle à gros carrelage.

Tony ne s'en formalise pas, ni le gros Bobby. Tout est normal.

Un gars chie devant les autres.

Y'a rien là.

62. Simon et Francis font du sport

À côté de l'église Saint-Martin, je vais à une compétition de fer à cheval avec trois gars non identifiés. On ne peut pas jouer parce qu'il y a trop d'enfants qui courent partout et qui s'amusent.

Partout autour, les enfants jouent à toutes sortes de jeux, ils font du sport individuel ou en équipe. Comme une fête d'école.

Simon et Francis y sont.

Simon joue dans une partie de hockey.

Il n'a jamais beaucoup joué au hockey, mais il joue bien quand même.

Il est dans l'équipe du collège.

Il subit un coup salaud près du but adverse et chiale.

Francis joue une partie de baseball.

Le pointage est nul au bout des neuf manches.

Ça se terminera en confrontation au bâton.

Francis frappe un simple.

Le frappeur suivant, de l'équipe des adversaires, doit faire mieux.

C'est une fille. Elle se fait passer dans la mite.

Francis a fait gagner son équipe avec un petit simple.

Mon fils fragile est un héros.

63. Un bâton pour Dutrizac

Au pays des souvenirs, c'est l'été.

En plein Verdun gris, non loin des studios de CKVL-CKOI.

Le vénérable Jack Tietolman discute avec d'autres personnes sur une galerie. Il est mal habillé et sale, le vieux Jack. Je le vois de dos.

Michel Houle est à l'emploi d'Énergie, mais Énergie est dans les locaux de la vieille station aux murs de bois. La sombre station de Verdun.

Il y a une soirée de fête.

Richard Martineau et Benoît Dutrizac y sont.

Je demande à Benoît Dutrizac de me suivre, en bas.

Du coup, je ne suis plus à la radio, je suis dans un chez moi parallèle.

J'ai quelque chose à lui montrer.

Dans le bureau, la musique n'est pas assez forte à son goût. Il appuie sur un bouton et double le volume. Bizarrement, on s'entend quand même très bien.

Je lui montre un bâton brun rougeâtre signé par Éric Gagné.

Benoît qualifie de « moumoune » la couleur du bâton.

Un tout petit Félix de 18 mois est dans une chaise haute au milieu du bureau.

Il me regarde avec un air triste et de la bave. Il sent le bébé. Je dois fermer la lumière et retourner en haut, mais j'hésite à le laisser seul.

« *Papa, va t'en pas...* »

Joanne Prince est là. Elle me pousse sur un lit.

Je lui dis que je ne me suis jamais rendu compte que je ne faisais plus la circulation à la radio.

« *Pas grave. Tu as le temps de t'en remettre. On ne travaille pas lundi, c'est congé.* »

NOUVEAUX PERSONNAGES

Tony Soprano
Personnage titre de la série *Les Sopranos*. Chef de mafia.

Gros Bobby
Personnage de la série *Les Sopranos*. Chauffeur. Gros ourson doux.

Jack Tietolman
Ancien propriétaire fondateur de CKVL. Décédé. Vieux juif.

Michel Houle
Technicien à CKOI avec qui j'ai travaillé pendant sept ans. Ricaneux.

Richard Martineau
Coanimateur des *Francs Tireurs*, à Télé-Québec. Intellectuel.

Benoît Dutrizac
Ancien coanimateur des *Francs Tireurs*, à Télé-Québec. Intellectuel.

Joanne Prince
Animatrice à Canal Vie et à Radio-Canada. J'ai travaillé avec elle à CKOI. Brillante.

Dix-septième nuit
VENDREDI 3 DÉCEMBRE 2004

64. Concept de télévision
Je suis à Radio-Canada et je cherche Jean Guimond.
Je croise Dominique Chaloult.
« *Attends, je vais voir...* »
Dominique avance un peu dans un corridor et regarde entre deux portes, elle voit le visage de Jean dans le reflet d'un four à micro-ondes.
« *Il est dans son bureau.*
— *Où tu vois ça ?*
— *Regarde par ici.* »
Je vois en effet la face de Jean. Son bureau est au milieu d'un carrefour, sans cloison avec plusieurs corridors qui convergent vers lui. Pourtant, personne n'est en mesure d'entendre les conversations.
Francine Morin est là et me sourit.

Il y a un cocktail à l'extérieur.

J'attire Jean dans un coin et je lui parle d'un nouveau concept d'émission de télévision. Il le déteste et me le dit d'une façon agressive.

« J'haïs ça, câlice. J'haïs ça en tabarnak ! »

Dominique, qui a entendu le titre du concept, me dit le contraire.

« Je l'ai lu et j'adore ça. »

Je ne sais pas quoi penser.

65. Foglia n'aime pas le film

Nous sommes un petit groupe à regarder un film noir et blanc.

Pierre Foglia y est, assis dans un *Lazy Boy*.

Il se lève et quitte pour aller fumer dehors.

Il n'aime pas l'odeur du film, pour des raisons personnelles. Il refuse d'élaborer.

66. Papa, charmeur de canards

Dans la cour intérieure de ma maison, il y a un étang avec des canards.

Simon a donné à mon père une mitaine à fourneau. Papa se découvre un talent unique : avec sa mitaine, il est capable de couler les canards.

Il saisit doucement le canard par le bec et pousse dessus. Le canard va sous l'eau, par derrière, et remonte.

Les canards (des Colvert) n'ont pas peur du tout et s'amusent avec lui.

Le jeu du canard et du grand-père.

67. Ça coule

Dans un vaste appartement au plancher de céramique, il y a une laveuse, une sécheuse et un lavabo. Tout déborde et l'eau se répand sur le plancher.

La situation me stresse.

Avec moi, une très grande dame blonde anglophone aux allures de soldat.

Je lui explique dans un anglais douteux qu'il y a un problème. Plutôt que de me répondre et de m'aider, elle se moque de moi à cause de mon accent. Je suis insulté, en furie, et je saute les plombs.

« Je m'efforce de te parler dans ta langue et tu me ridiculises!? »

Je la traite de *slut.*

68. Ménage du sous-sol

Il fait froid dehors et je veux aller prendre l'air.

Je demande à Francis et à Simon de venir avec moi et je sors. Une dame ordonne à Simon de faire le ménage du sous-sol avant d'aller jouer. Simon pique une crise.

« Pourquoi c'est toujours moi? Pourquoi?! »

J'entends la chicane et je reviens à l'intérieur.

« Laisse faire, Simon, je vais m'occuper du ménage. »

C'est le désordre total au sous-sol. Je commence par ranger un tablier de menuisier aux poches vides. Puis je range des petits paquets de cordes.

NOUVEAU PERSONNAGE

Francine Morin

Assistante de Jean Guimond à Radio-Canada. Rieuse et gentille.

Dix-huitième nuit

SAMEDI 4 DÉCEMBRE 2004

69. Le morceau dans les côtes à Ti-Guy

Au restaurant Le Centaure, à l'Hippodrome de Montréal. Plusieurs personnes sont attablées, dont Ti-Guy Émond, un régulier.

À cette même table, un homme insulte une femme.

Par bravade et parce qu'il se prend pour le *king* de la place, Ti-Guy s'interpose et engueule le type. Le gars attire Ti-Guy au bar « pour lui parler ».

Il sort un revolver et le lui met violemment entre les côtes. Ti-Guy devient blanc et s'énerve.

Il a peur et revient à la table. Avec sa voix typique, nerveuse : « *J'avais un morceau d'dans ! J'avais un morceau d'dans, câlice !* »

70. Soupe

Je dois faire de la soupe pour quatre personnes.

J'ai un grand verre de bière rempli qui bouillonne.

J'y cale quatre paquets de nouilles séchées, aromatisées.

71. Sexe et voleurs

Il est une heure du matin.

Il y a un petit moniteur sur la table de cuisine. Dans le moniteur, il y a des images de France en sous-vêtements noirs.

France a les fesses appuyées sur le bord de la table, dans la même tenue.

Elle se couche sur la table. Elle se trouve belle.

Je la caresse.

J'entends un bruit qui vient du salon.

Je longe un nouveau corridor et je vois dans la grande fenêtre à moitié ouverte du salon une dizaine de voleurs, visages découverts.

Jeunes, armés de toutes sortes d'objets. Ils me regardent, menaçants.

Ils m'ont vu et n'ont pas fui.

J'ai peur.

72. Ressemblance

Une photo de famille. Noir et blanc.

C'est une photo qui s'anime et qu'on peut entendre.

Je suis le deuxième à partir de la droite sur la photo, prise dehors par temps ensoleillé.

J'ai 14 ans, les cheveux en brosse, mince et très verbomoteur.

Je ressemble à Simon.

NOUVEAU PERSONNAGE

Ti-Guy Émond
Journaliste sportif qui parle vite, il a 60 ans et en sonne 17.
Mémoire phénoménale.

Dix-neuvième nuit

LUNDI 6 DÉCEMBRE 2004

73. Football et ballon perdu

Je suis dans un groupe de gars et nous jouons une partie de *touch football*.

Guy A. Lepage est dans mon équipe. Nous voulons tous les deux être le quart-arrière. Mais c'est lui qui gagne le poste. En caucus, il veut que tous les joueurs partent en ligne droite et tournent à 90 degrés, vers la droite.

« Je vais faire la passe à mon frère. »

La zone des buts est sur une montagne à l'herbe très longue. Je fais le jeu tel que commandé par Guy A.

Guy A., un gaucher, lance le ballon vers son frère et ne l'atteint pas.

Le ballon est tombé dans mon coin. Je le cherche et ne le trouve pas.

Guy quitte le terrain.

Il est au téléphone dans un vestiaire. Il parle dans le dos d'un journaliste qu'il n'aime pas.

Je l'interromps.

« Guy, le ballon ?! Faut trouver le ballon. »

Il ne veut rien savoir.

Je retourne le chercher tout seul. Je ne le trouve pas, mais je trouve un gant de premier but, un vieux modèle, que j'avais perdu quand j'étais petit.

Je le prends. Je le donnerai à Simon.

Nous avons gagné la partie de football 10-0. Un résultat surprenant.

Nous n'étions pas censés gagner, les autres étaient nettement plus forts. Mais c'est ça le sport.

Simultanément ailleurs, Mario Jean joue aussi une partie de football.
Mais lui, c'est une vraie, avec tout l'équipement.
Il est demi-arrière, il porte le ballon et sort en touche.
Je le vois de face, comme si j'étais en défensive.

74. Pluie au lac Major

Il pleut au chalet de Jean-Marie, sur le bord du lac Major dans les Hautes-Laurentides. Je suis couché sur le divan, au rez-de-chaussée.
Jean-Marie est dans sa chambre, en haut.
J'entends quelqu'un qui descend et je suis certain que ce n'est pas Jean-Marie. J'ai peur, je n'ose pas bouger.
Après avoir stressé, je réalise que c'était bien lui.
Il est avec trois personnes, des cousins éloignés que je n'ai jamais rencontrés. Le temps est maussade. Il pleut et vente. C'est froid.
C'est une toute petite scène de film. Grisâtre. Idéale pour violoncelle.
Je veux partir de là.

75. Félix boude la bouffe de sa mère

Félix est à la table de cuisine et mange.
Il refuse systématiquement de goûter à ce que France a préparé.
Il ne bouffe que des croissants secs.
Il veut protester contre la cuisine de sa mère.
France est triste.
Je trouve que Félix est impitoyable.

76. La route du non-retour

NOTE *Depuis aussi longtemps que je me souvienne, il y a ce rêve récurrent. Je me retrouve dans un village loin de tout, peuplé de dangereux consanguins, de violents demeurés. Comme dans le film* Delivrance.

J'ai fait un long voyage en voiture, en passant par une ville étrange. Drummondville plus Belœil, divisée en deux.
La route s'arrête dans un village, une heure passé cette ville.
Il y a plein de villageois, dont le mal engueulé Jean-Guy Masson.
Il y a une fête au village, mais je suis pressé et il faut que je revienne.
Fuck, la route est barrée.
On peut arriver dans le village, mais on ne peut pas repartir à moins de connaître l'autre route. Personne au village, même pas les employés de la voirie, ne veut m'indiquer le chemin à suivre.
Je demande à Masson qui me dit d'être patient.
Il va à la fête et reviendra me donner le chemin.
Dans l'édifice où se tient la fête, des filles sautent par les fenêtres pour se sauver.

77. Je suis Seinfeld
J'ai une job d'animation à faire. Faut m'habiller propre.
Je prends une paire de jeans dans mon placard et je suis certain qu'ils sont trop petits. Je les essaie, surprise : ils sont parfaits.
Je mets une chemise en coton très mince, mais je change d'idée parce qu'on voit au travers sous la chemise, j'ai un tee-shirt avec des grosses roses imprimées. Je mets une chemise opaque.
En regardant dans le miroir, je réalise que je suis Jerry Seinfeld.

78. La merde vivante
Beaucoup de merde dans un bol de toilette plus grand que la normale.
Je tire la chaîne, mais il reste quatre crottes. Des irréductibles qui refusent de passer aux égouts. Les quatre crottes ont des yeux et des visages, comme des poissons. Je tire la chaîne à nouveau.
Ils disparaissent.

NOUVEAUX PERSONNAGES

Guy A. Lepage
Animateur, humoriste. Grâce à lui, j'ai écrit pour *Un gars, une fille*.

Mario Jean
Humoriste.

Jean-Guy Masson
Diminutif technicien, syndicaliste à CKOI

Jerry Seinfeld
Comédien et personnage dont j'adore la série.

Vingtième nuit
MARDI 7 DÉCEMBRE 2004

79. Marc Labrèche va au théâtre

Marc Labrèche, son bouvier bernois, un autre individu et moi allons à pieds au Forum de Montréal pour assister à la pièce de théâtre d'un grand auteur.

On attend une salle comble. 20 000 personnes.

Nous partons de chez Marc. Il habite à quelques rues d'un quartier très pauvre dans le sud-ouest de Montréal. Tout le monde du voisinage connaît Marc sur une base personnelle. Comme s'il était un frère.

Quand il passe dans la rue, on le salue.

Il y a un monsieur dans le haut d'une échelle qui lui lance un bonjour.

Penchée dans son jardin, sa voisine d'en face salue Marc aussi. C'est une communiste habillée en brun, aux cheveux courts et sans maquillage.

C'est moi qui ai le chien en laisse.

Marc me suggère de le laisser courir. Pas de danger qu'il ne se sauve.

Et pourtant, il s'est sauvé.

Il est allé manger des chips dans un sac laissé à côté d'une colonne par un travailleur au casque jaune. Le type s'en est aperçu, mais quand il reconnaît le chien de Marc, il ne s'en formalise pas.

« *C'est pas grave, Marc, y'a rien là. C'est juste des chips au vinaigre !* »

Le chien continue à courir et voit des arrosoirs qui ressemblent à des *sprinklers* de terrains de golf. Il sait que je ne veux pas, mais il y va quand même, il réussit à boire sans se mouiller.

Pour se rendre au Forum, on doit couper à travers une grande église, trois fois grande comme Notre-Dame. Une vieille église sombre et pleine de beaux vitraux.

Marc se demande si les gens avec qui il travaille actuellement seront là pour la pièce de ce soir. Il monte une autre pièce du même auteur, mais dans un théâtre beaucoup plus modeste, une toute petite salle.

Je suis soudainement préoccupé par le chien de Marc.

« *Marc, quand on va être rendu au Forum, on fait quoi avec le chien ? On peut pas le rentrer, c'est interdit.*

— Mon fils va s'en occuper, ou ma fille. »

Je sais qu'il n'est pas sérieux. Ni sa fille ni son fils ne sont avec nous.

Je ne comprends pas pourquoi il ne veut pas me répondre. Ma préoccupation est sincère.

80. Dangereux descripteur

Il y a un match de hockey professionnel, mais il n'y a pas de descripteur.

Le descripteur a été arrêté. C'est un personnage qui a des liens avec des groupes de criminels. Un homme dangereux. La police le détient pour interrogation.

Personne n'ose le remplacer au micro, craignant être victime des représailles de l'homme.

On a demandé à Jacques Vanasse.

Lui n'a pas peur du tout et se présente aux producteurs :

« *Pas de problème, je vais la faire votre* game, *moi. Y m'fait pas peur. Où je m'installe ?* »

81. Live de mon sous-sol

Je fais partie d'une émission de télévision.

Je fais ça, sans caméra, en direct de chez nous, au téléphone. Patrick Huard est l'invité. Je suis dans mon sofa du sous-sol et je le regarde, tout en lui parlant. Je lui demande en direct s'il accepte de jouer le premier rôle dans l'épisode d'aujourd'hui.

Une histoire de basket-ball.

Il hésite à me répondre. Si bien que j'ai l'impression qu'il va nous fourrer et refuser de jouer le jeu. On serait pris au dépourvu. Salaud. Je panique un peu.

Mais il accepte.

« J'espère que ça va être meilleur que la semaine dernière. »
Il faisait référence à l'émission de la dernière semaine qui était vraiment mauvaise.

82. Dans la lune sur Décarie

Yves Corbeil est dans une voiture, passager sur la banquette arrière.

Je conduis. Nous sommes sur Décarie.

Il change sa voix et joue des tours au téléphone.

Ça me déconcentre et je prends une mauvaise sortie.

Je m'en aperçois.

Je prends la prochaine rampe d'accès et reviens sur la voie rapide.

J'étais concentré sur Yves Corbeil. Faut le faire.

NOUVEAUX PERSONNAGES

Marc Labrèche
Acteur, animateur avec qui j'ai été ami longtemps.

Jacques Vanasse
Ancien chroniqueur de sport et copain de travail à CKLM. Fort comme un bœuf.

Yves Corbeil
Annonceur.

Vingt et unième nuit

83. Contrat de pub

La scène se passe dans une classe du Collège Bois-de-Boulogne, pavillon Ignace Bourget, deuxième étage. Autour d'une longue table, il y a Diane England, Sylvain Légaré et Tony Soprano. Les trois travaillent pour une agence de publicité. Il y a aussi un annonceur que je ne connais pas, un genre beau bonhomme, et il y a moi. J'étais supposé enregistrer une série de commerciaux payants. À la dernière minute, on me les a enlevés pour les confier au beau bonhomme. Sur les 15 commerciaux, il en fera 14, me laissant une petite crotte.

Je suis en furie. Je me lève et je quitte.

En sortant de la classe, je dis à Diane England:

« Est-ce que tu peux lire sur les mains? Tiens, lis ça! »

Je lui fais le doigt d'honneur.

Il n'y a pas de poignée sur la porte et je parviens quand même à l'ouvrir.

Je suis enragé. Je descends au rez-de-chaussée.

Je suis dans le corridor qui mène à la cafétéria.

J'ai mon coupe-vent des Dodgers et j'ai peur que quelqu'un ne voie le drapeau américain sur la manche droite et m'insulte.

Je tente de le cacher.

Dans le corridor, un handicapé quête en parlant. Il vante son CV.

« J'ai plusieurs médailles de bronze, j'ai trois médailles de bronze. J'en ai même plus: j'en ai huit. J'en ai 12, j'ai plein de médailles de bronze! »

Je l'ignore.

Je ne pense qu'à cacher mon drapeau américain.

84. La liste de Félix

J'ai trouvé sur la table de cuisine une liste écrite sur une grande feuille verte.

Une liste toute fripée écrite par Félix.

Il a écrit le nom de tous ses amis, ses amies.

Il y en a beaucoup. À côté de chaque nom, un commentaire.

Il écrit quels sont les sentiments et l'intensité de ces sentiments vis-à-vis chacun des individus sur la liste.

À côté du dernier nom sur la liste, il y a une déclaration d'amour.

Le dernier nom, c'est « Spoon ».

France et moi, on se questionne.

Qui est « Spoon » ?

NOUVEAUX PERSONNAGES

Diane England
Productrice chez Zone 3. Agente de Gregory Charles.

Sylvain Légaré
Directeur marketing et promotions chez Astral Radio.

Vingt-deuxième nuit

JEUDI 9 DÉCEMBRE 2004

85. Jean-René Dufort, vendeur de meubles

Je suis dans une cour arrière, un matin de printemps.

La pelouse jaunâtre est mouillée et boueuse.

Je trouve trois vieux « 33 tours » que je lance à France.

« Regarde ce que j'ai trouvé. »

Je vais avec Francis, Simon et France dans la salle de montre d'un magasin de meubles. Il y a une demi-douzaine de vendeurs, tous derrière leur large bureau brun. Parmi les vendeurs, il y a Jean-René Dufort, habillé à la Jean-René, cravate bizarre et souliers dépareillés, avec une cigarette au bec et sans ses lunettes.

Je veux acheter deux mégafusils à l'eau, pour que les gars puissent s'amuser et deux gros meubles non identifiés.

Je regarde Jean René et lui dis, en blague :

« *Monsieur. Sachez que je n'ai pas l'intention de me faire servir par quelqu'un qui fume !* »
Le directeur des ventes est assis dans le coin, derrière un plus gros bureau.
Il a un nom étranger.

86. Soirée au Théâtre St-Denis
Je dois quitter pour le Théâtre St-Denis.
Je m'habille chic. J'ai une chemise et une cravate multicolores qui s'agencent parfaitement.
Des couleurs vives, éclatantes. Rouge, bleu, vert, jaune. Les mêmes couleurs, différents motifs.
Je dois me mettre de la lotion Jergens beige sur les mains.
Pour masquer l'odeur, je dois y mélanger de la poudre pour bébé.
Je gaffe. Il y a plein de poudre collante sur mon beau pantalon noir frais pressé, tout neuf.
Je suis incapable de le détacher.
Une petite fille me reproche la longueur de ma cravate.
« *Mon père m'a dit qu'une cravate, ça peut pas être si long que ça. C'est laid.* »

Je suis à l'arrière-scène du Théâtre St-Denis, il y a foule.
C'est la cohue.
Parmi les gens, je reconnais Jean Bouchard et son petit frère Émile fils.
Je parle avec Émile fils.
« *Émile, tu me fais penser à de la terre.*
— *Bizarre que tu me dises ça, je viens de m'acheter une ferme.* »

J'ai une intervention à faire à 8 h, il est 7 h 30 et je n'ai pas mon ordinateur. J'ai plein de choses à écrire et à corriger. Je stresse.
Je suis dans une loge avec Stéphane Lefebvre, on attend Réal Béland, qui a aussi une intervention planifiée sur la scène.
Je téléphone à la maison, pour demander à France qu'elle m'envoie par courriel tout le matériel qui me manque.

J'ai l'adresse courriel de Stéphane.

Une voix inconnue me répond.

À la blague, j'insulte cette personne.

Diane England et deux autres filles sont dans le cadre de la porte de la loge et choquées de mes propos.

« Moi, je ne me laisserais jamais parler comme ça. Jamais.

— Moi non plus.

— Jamais. »

Réal arrive.

Il est coiffé au poil. Les cheveux bien brossés, placés, gonflés. Je ne l'ai jamais vu comme ça. Il prépare son voyage en Italie.

87. Un rêve dans un rêve

Je suis dans un grand dortoir.

Je suis à moitié endormi et j'enregistre sur mon petit magnétophone le rêve que je viens de faire. Voici le rêve dans le rêve :

Il y a un cercle de personnes qui sont dans une réunion d'après saison de l'émission *Ce soir on joue.*

Luc Guérin arrive. Il est avec trois de ses enfants, deux petits garçons et une jeune fille plus grande que lui. Il a un chandail rose, bordé de blanc, en laine, tricoté maison. Luc adore son chandail même s'il est affreux. Beaucoup trop court avec une encolure gigantesque.

Il me présente sa grande fille.

Elle me dit que l'artiste la plus brillante que son père lui ait présentée est Sylvie Legault.

« Elle, c'est une fille intelligente. »

Luc, pour venir à la défense de mon cerveau, me fait un clin d'œil et dit à sa fille que, cet après-midi, j'ai procédé à la scission de l'atome.

« Fais attention à ce que tu dis, ma belle. Christian a scindé l'atome cet après-midi, n'est-ce pas Christian ?

— Certainement, Luc. J'ai procédé à la scission de l'atome avec une scie spéciale. »

Au moment où je suis à enregistrer ce rêve sur mon magnétophone, Mario Clément entre dans le dortoir et se jette sur moi.

Je lui dis de se calmer les nerfs.

« Calme-toi, le gros. J'enregistre un concept d'émission pour ta station. »

On se chamaille. Pour le fun.

À la porte d'une cafétéria non loin du dortoir, il y a une foule qui attend pour entrer. Mario et moi passons devant tout le monde, entrons par la sortie. Mario prend des légumes verts. Je demande deux hot-dogs, moutarde seulement.

Les hot-dogs sont dégueulasses, les pains sont tout mouillés et déchirés, les saucisses plissées, vieilles. Immangeables. Je les prends pareil.

Je vais rejoindre Mario qui m'attend déjà, assis à une table. Il est avec un autre homme que je tasse impoliment. Je le regrette.

Je suis mal à l'aise.

Comme je me retourne après m'être excusé, un autre type s'assoit, pense que les hot-dogs sont bons pour la poubelle et les jette.

Enragé, je me lève et je quitte. Je marche loin.

De loin, je regarde si Mario est encore là, et si le type me cherche pour s'excuser d'avoir jeté ma bouffe. Un autre me parle, je ne le regarde pas, je ne pense pas qu'il me parle à moi. Il me demande s'il m'arrive de faire des voix dans des dessins animés.

Il me dit que, si c'était un vrai ami, Chico m'en ferait faire, des voix de bonhommes.

Je me rends compte que je connais le type, c'est vague, mais son visage m'est familier.

Je suis à Radio-Canada au bout d'un long corridor.

Je regarde un film avec Peter Sellers sur un écran géant.

NOUVEAUX PERSONNAGES

Jean-René Dufort
Animateur comique à la SRC. Je l'ai connu à *La fin du monde est à 7 heures.*

Jean Bouchard
Ancien copain du Collège Laval, journaliste artistique. Fils du grand Butch Bouchard, frère de Pierre.

Émile Bouchard fils
Petit frère de Jean.

Sylvie Legault
Comédienne intense.

Peter Sellers
Acteur britannique. Comique. Le fameux inspecteur Clouzot.

Vingt-troisième nuit
SAMEDI 11 DÉCEMBRE 2004

88. La gomme dans la poubelle
Une classe.
Tous les élèves sont des ados, sauf moi. Je suis un adulte de 50 ans.
La situation n'est pas exceptionnelle, c'est normal.
Les deux professeurs sont mari et femme.
On les dirait sortis d'un film des années 1950. Lui : grand, mince, bien peigné, complet gris et cravate. Lunettes à montures noires. Il a une douce autorité. C'est le professeur principal.
Elle : son assistante académique et sa femme, jolie, discrète. Elle a les cheveux frisés, brillante.
Il voit une gomme dans la poubelle et regarde la classe sévèrement.
Il cherche le coupable.
Je me lève.

« *C'est moi, monsieur, c'est de la Nicorette. J'ai arrêté de fumer.*

— Ce n'est pas une excuse. C'est une mauvaise habitude. »

Il demande à son adjointe de s'approcher, et ils discutent de mon cas, à voix basse. Ils règlent mon sort.

Je n'ai jamais su ce qui allait m'arriver.

89. 93 600

Je dois attendre dans un gigantesque lobby d'hôtel.

Un lobby de la dimension d'un village.

Il y a une machine à sous. Un *one arm bandit*. Comme à Las Vegas.

Sur la machine à sous, une grenouille dessinée pleure en regardant la fente où on engouffre les dollars. J'ai deux pièces de un dollar.

Je mets la première pièce et je gagne six pièces de 25 sous.

Simon arrive et me regarde. Il déteste me voir jouer.

« *Simon, j'ai juste deux dollars. Ne t'inquiète pas.* »

Il ne veut rien savoir.

Je mets mon deuxième dollar.

Je gagne 93 600 pièces de 25 sous.

90. Le Casino de la frustration

NOTE *Je suis fasciné par Las Vegas.*

Dans un casino, la moitié du monde s'amuse comme des enfants et l'autre moitié est en train de mourir. Ils se suicident à petit feu. Ou parfois beaucoup plus vite.

À chaque fois que le décor du rêve est un casino du Nevada, je suis heureux même si je sais que je ne peux jamais jouer. Jamais.

Il y a toujours une situation, un événement, un emmerdement qui m'empêche de jouer. Et je frustre. J'en suis conscient, mais j'y vais pareil.

Il y a un gala ce soir avec Gregory Charles, juste à côté du Casino de Montréal. Je suis le scripteur du gala.

J'arrive tôt, en après-midi.

Sur la scène, je discute de danse avec Greg. Je lui demande s'il est capable de faire le Ali Shuffle (un pas de danse créé par Muhammad Ali où les jambes font le mouvement saccadé de quelqu'un qui marche, sans avancer.)
Greg le fait. À la perfection, bien sûr.
Pierre Rodrigue est là.
« Viens, on va aller jouer au casino, une couple de minutes... »
Je le suis. Nous n'entrons pas par l'entrée régulière, mais à travers une roulotte de hot-dogs et patates frites, juste à côté.
Pierre a des contacts partout. Il m'impressionne.
Le Casino ne ressemble en rien au Casino qu'on connaît, il est 10 fois plus vaste. Un grand complexe compliqué.
Plein d'entrées, de sorties, de corridors.
Je n'ai pas un sou. Pierre me prête 60 dollars. Trois billets de 20.
En entrant dans le Casino, je ne le revois plus. Il est parti de son côté.
Une fois, j'ai cru l'apercevoir, mais c'était un jeune chinois, gros, qui s'amusait à une table.
Je veux jouer.
J'ai beau chercher, je ne trouve aucune table et aucune machine pour jouer. Je suis impatient et déçu.
Je me fais crouser par des vieilles dames qui me reconnaissent du temps de *Ad Lib*, dont une qui veut que je l'embrasse.
Elle a un énorme dentier.
Je rencontre Sylvie Morissette et son mari, le petit blond qui sourit tout le temps. Ils sont avec un musicien que je ne reconnais pas.
J'échappe un billet de 20.
Je me penche pour le ramasser et je vois quatre porte-clefs, une quinzaine de clefs dans chacun d'eux. Il y a le mien et trois autres.
Je regarde le groupe de Sylvie.
« Quelqu'un a échappé son porte-clefs ? »
Les trois l'avaient échappé.
Le billet de 20 n'en était pas un, mais une feuille morte.

Il y a aussi des notes écrites sur un papier, des notes que le mari de Sylvie avait prises pour les paris sportifs.

Je les quitte, je vais au salon Cléopâtre.

Pour m'y rendre, il faut monter un escalier, il n'y a de l'espace que pour une personne et un employé du Casino descend. Je le laisse passer et j'entre.

Je ne vois toujours aucune machine et aucune table. Les seules machines que je vois n'acceptent que les pièces de 16 sous et de 67 sous.

Je ne comprends pas. Frustré.

Je réalise qu'il faut que je retourne au gala, il se fait tard.

Je ne trouve pas la sortie. Je ne me souviens plus par où je suis entré.

Les gens de la production vont me chercher.

Je file mal. Je me sens coupable.

Quand vais-je apprendre à me tenir loin des casinos ?

91. Pour une vieille balle

Dans un parc qui n'existe pas, j'assiste à une partie de balle.

Les Expos contre les Giants. Je suis assis du côté de la ligne du premier but.

Le frappeur cogne un circuit de l'autre côté de la clôture du champ gauche, dans l'enclos des releveurs.

Un joueur dans l'enclos prend la balle et la frappe à son tour du côté du terrain. La balle s'en vient dans mon coin, elle frappe une rampe et aboutit sur le terrain, pas loin de moi.

Je saute sur le terrain, ramasse la balle et la lance dans les spectateurs, sous les applaudissements.

Je retourne à mon siège, fier.

Trois officiels des Expos, dont Richard Griffin, m'approchent et sont en fusil. Des agents de sécurité les rejoignent. Cohue. Ils me parlent en anglais. Ils veulent me chasser du stade.

Griffin est très fâché, mais il sait que je suis journaliste et me laisse tranquille. Un agent de sécurité me regarde et me fait un *finger*.

Je suis insulté.

Je parle à Griffin.

« *Vous laissez vos agents de sécurité s'en prendre aux médias?!*
C'est sûr que je ne le referai plus l'an prochain. Vous avez
chassé l'équipe. »

Je lui explique que j'en ai rien à foutre de la balle.

D'autant plus que c'était une vieille balle.

« *J'en ai 100 balles, à la maison.* »

L'agent de sécurité voulant m'injurier, me dit :

« *T'as 100 balles? Tu dois avoir 100 ans!*

— *J'ai 155 ans, si tu veux savoir...* »

Je crois que je l'ai bouché d'aplomb.

NOUVEAUX PERSONNAGES

Pierre Rodrigue

Né en 1960. Mon ancien agent, mon meilleur chum
pendant cinq ans. Brillant.

Sylvie Morissette

Adjointe à la haute direction à Énergie. Copine de travail
depuis 11 ans. Une personne en or.

Richard Griffin

Grand rouquin. Ancien directeur des relations avec les
médias chez les Expos.

Vingt-quatrième nuit

DIMANCHE 12 DÉCEMBRE 2004

92. Histoires d'oiseaux

Nous sommes plusieurs promeneurs solitaires à marcher
dans une forêt où il y a plein d'oiseaux. Il y a des pélicans,
mais surtout différents spécimens de petits oiseaux.
Fauvettes, merles, juncos. En particulier des petites
mésanges.

Elles volent bas et semblent viser ma tête. J'ai dû en éviter
une bonne dizaine qui me fonçaient dessus. Pourtant,
personne autour ne prend panique.

Je suis peut-être la seule tête visée. Je ne sais pas.

Pourtant non. Je croise Laurence Jalbert qui me passe la remarque.

« Je ne sais pas ce qu'ont les oiseaux cet été. Je suis venue quelques fois et ils m'ont attaquée. »

Une cigogne passe dans le bois et va se réfugier sur une plate-forme, dans un arbre, pas très haut.
Il y a sur place un groupe de visiteurs qui viennent d'Énergie.
Voulant faire réagir l'oiseau, un d'eux lance un objet sur la plate-forme de la cigogne. La cigogne est terrorisée, saisie par la peur. Elle ne peut plus bouger.
Un bénévole, dont la tâche consiste à nourrir et à soigner la cigogne, grimpe sur la plate-forme et, par dépit, jette le contenu d'un bol d'eau sur la foule. L'eau de l'oiseau.
La cigogne va mourir de peur. Il le sait.
L'homme descend de l'arbre et vilipende le groupe d'Énergie. Il les traite d'inconscients. Tout le monde se sent mal.
Je viens à la défense du coupable. Je sais qu'il était de bonne foi. Je déplore l'accident.
Le gardien bénévole est enragé. Il m'engueule en m'accusant. Il me dit que j'ai exagéré.

« Alors que la cigogne était atterrée, tu lui as chanté la chanson de Châtelaine Corps à Corps, *pour te moquer d'elle. Juste parce qu'elle est de Drummondville. Moi aussi, je viens de Drummondville, et la cigogne aussi est de Drummondville. Je ne pourrai jamais plus mettre les pieds là.*
Les gens de Drummondville ont honte de moi, maintenant !
— Monsieur le bénévole, si les gens de votre ville sont incapables de comprendre que vous n'y êtes pour rien, que c'est MOI qui ai chanté la chanson, soit ils sont cons, soit ils sont de mauvaise foi. Dans les deux cas, c'est une bonne chose de ne plus les revoir ! »
Je lui ai cloué le bec.

Je sors de la forêt.
En bordure de celle-ci, il y a deux oiseaux que je ne reconnais pas. Un mâle brun tacheté à très longue queue et

une femelle au plumage orange tacheté. Ils ne peuvent pas voler. Ils courent en bordure des bois.

Ils me pourchassent et le mâle me picosse la cheville.

Pour le dresser, je le saisis par le bec et lui ferme délicatement, quelques secondes. Il meurt.

Je me sauve immédiatement, mais la femelle enragée et triste me court après et me picosse frénétiquement. Je cours.

Elle retourne voir son amoureux mort et elle revient vers moi encore plus enragée. Je me sauve encore, elle retourne et revient comme ça quelques fois, puis elle se tanne et reste près du cadavre.

Je suis soulagé, mais triste de ce que j'ai fait.

Je deviens pressé, il ne faut pas que je manque le train qui me transportera d'abord passé Drummondville et me ramènera chez nous, à Montréal.

93. Le procès

Je suis dans la salle d'attente d'une cour de justice avec un avocat.

Un procès très médiatisé dont je suis l'accusé.

On attend l'arrivée de quelqu'un avant de procéder. Cette personne est en retard. Je ne sais pas qui elle est et ce qu'elle fait.

Je vais à la salle de bain, j'y rencontre un couple qui a un chien en laisse, ressemblant beaucoup à Joséphine. Plus mince avec les yeux bleu pâle.

Le retardataire arrive et on entre dans la cour.

La salle est pleine de curieux, de connaissances et de journalistes.

On s'installe à la table de la partie défenderesse, devant le pupitre du juge.

Il y a plein de juges autour du pupitre, dont Nathalie Lambert en perruque blanche. Je la salue, elle me salue avec un sourire.

Dans la salle, il y a Monique Giroux absorbée par un ordinateur. On échange un bref regard.

Tous s'attendent à ce que je sois condamné.

Je ne me souviens même plus de l'offense. On lit l'acte d'accusation.

C'est le meurtre de l'oiseau.

Soudain, chez les juges et dans l'auditoire, tout le monde pense que l'affaire ne tient pas. Que l'accusation est ridicule.

On me demande ce que j'ai à dire, pour la forme seulement.

Tout le monde est d'accord : je suis innocent.

Soulagé.

94. À la recherche du chronométreur

On m'a demandé d'être assistant arbitre pour un match de hockey au Forum. Un match de la Ligue nationale. Il y a foule.

Je ramasse une rondelle dans le coin de la patinoire, une rondelle qui a été trouée. Un gros trou dans le milieu.

Il faut aller la porter au chronométreur.

Je ne trouve pas le chronométreur.

Je sors du Forum à sa recherche.

Les trottoirs sont glacés, mais ça fait mon affaire, je trouve que ça avance plus vite et je suis pressé.

Je rencontre un chef d'orchestre que je ne reconnais pas et qui me reconnaît. Il attend pour diriger une symphonie.

Il est avec Margot Campbell, une cantatrice à grosses babines qui se demande si ses babines sont encore fermes, malgré son âge.

Assis pas loin, Guy Fournier.

Par erreur, je l'appelle Guy Cloutier. Il me donne une cigarette miniature.

Une nouvelle marque.

Il est dépressif et démoralisé. Triste.

« *Je me suis mal remis du Gala des Gémeaux.* »

J'embarque dans une voiture avec lui, toujours à la recherche du chronométreur du Forum.

Dans la voiture, Guy Fournier se transforme en Jean-Paul Chartrand père.

Je lui demande comment va la santé.

« Je vais bien, mais je dois voir un spécialiste russe la semaine prochaine. »

Il faut retrouver le Forum.

Nous passons par un quartier résidentiel de banlieue.

Au loin, je vois Louis et Francis qui se lancent un ballon de football, ou une balle de baseball.

« Tu vois le grand gars, là-bas, qui lance le ballon. Il mesure 6 pieds 5 pouces et pèse 285 livres. Il veut jouer au football dans une université américaine l'an prochain. »

Jean-Paul est impressionné.

Nous arrivons à leur hauteur, plein d'enfants ont rejoint Francis et Louis.

Je baisse la vitre.

« Louis, viens ici ! Je suis avec le vieux Chartrand. Lui va te dire si t'es capable de percer aux États-Unis. Il connaît ça le football. »

Avant de retourner au Forum, on passe par un appartement pour se changer.

Faut aussi que j'apporte des bâtons de hockey.

Je vais appeler Monique Giroux pour qu'elle me prépare une passe, afin que je puisse entrer au Forum.

Jean-Paul me dit qu'il ne parle jamais à Monique parce qu'elle est toujours de mauvaise humeur.

(Caprice de chroniqueur sportif.)

NOUVEAUX PERSONNAGES

Laurence Jalbert
Faiseuse de chansons. Je l'aime.

Joséphine
Notre chienne, née le jour du 24e anniversaire de la mort d'Elvis, le 16 août 2001.

Nathalie Lambert
Patineuse de vitesse et maman de deux petites chinoises. Brillante.

Monique Giroux I
Animatrice à Radio-Canada. Une amie.

Margot Campbell
Comédienne âgée.

Jean-Paul Chartrand père
Chroniqueur sportif qui est passé à travers toutes les modes.

Louis-Alexandre Aubertin
Un ami de longue date de Francis. Pan de mur.

Monique Giroux II
Responsable des relations avec la presse chez les Expos. Elle y a été pendant les 36 ans d'existence du club. Bonne personne.

Vingt-cinquième nuit
LUNDI 13 DÉCEMBRE 2004

95. La fille sans nom
Je suis invité à l'émission *Tout le monde en parle.*
Je m'y rends.
Je suis dans un véhicule public qui est un croisement entre un ascenseur et un wagon de métro. Avec moi, une fille que je ne connais pas.
Elle a les cheveux noirs et les yeux bleus. Hybride de Meadow Soprano et de Marina Orsini.
On a fait connaissance en parlant, tout le long du voyage.
Elle a refusé de me donner son nom. Agace.
« Ce n'est pas important. »
Je dois rencontrer Sylvie Morissette et Marie-Christine Devost.
Les deux m'attendent.
Je leur présente la fille sans nom.
Elle est pressée.
Elles se serrent la main et elle leur dit d'un air mystérieux :
« Nous nous sommes déjà rencontrées toutes les trois.
Vous ne vous souvenez pas ? C'était un dimanche matin
d'hiver à Rawdon, il y a huit ans. »
Ni Sylvie, ni Marie-Christine ne s'en souviennent.

Sylvie me raconte les malheurs de sa fille qui est autistique.
La fille sans nom a pris un autre ascenseur (métro?) et s'est
sauvée.

96. Directive de l'armée : on ne passe pas

Je suis avec Pierre Dumont, on doit rentrer chez nous.
Je demande à Pierre si François accepterait d'écrire à ma
place un commercial de McDonald's qu'on m'a commandé.
Pour rentrer chez nous, il y a deux chemins possibles.
Un court : couper par le champ, à pieds.
Un long : faire un détour de six kilomètres par la route, en
voiture.
L'armée est à l'entrée du champ parce que c'est le week-end
de la Saint-Jean-Baptiste.
Il y a plein de baraques.
Je veux quand même passer. Un adjudant aux cheveux
blonds très minces refuse de me laisser passer.
Il me lance une remarque désobligeante sur l'Épicerie en
folie.
Ça ne me dérange pas.
Un labrador noir me surveille, bien assis et pas du tout
affectueux.
Je discute avec le soldat en essayant de lui faire entendre
raison.
Il ne veut rien savoir. Il a des ordres.
Il me dit que, si j'ai trois signatures, je pourrai passer.
« Pas de problème, je vais les avoir. »
Il y a un garage-dépanneur-resto au coin de la rue.
Propriété de Martin Fiset qui y travaille.
Martin est un officier de la ville. Il va chez lui pour m'écrire
une belle lettre. Première signature.
L'officier supérieur de la garnison qui garde le champ est au
dépanneur et me reconnaît. Lui aussi accepte de signer.
Deux signatures.
Je songe à aller demander au chef de police, non loin de là,
pour trois.
Je sors du dépanneur.

Sur le terre-plein dans la rue, il y a toute l'équipe des *Grandes Gueules.*

José Gaudet, Mario Tessier, Richard Turcotte et les scripteurs.

José crie.

« T'es de bonne heure sur la bière, le gros ! »

J'ai une bière dans un sac.

Pas une bouteille ou une cannette camouflée, de la bière en liquide dans un sac de papier aluminium.

Dans un autre sac, j'ai des morceaux de gomme faits de yogourt.

Je reste dans le cadre de la porte et j'attends le retour de Martin avant d'aller à la police.

NOUVEAUX PERSONNAGES

Meadow Soprano
La fille de Tony, dans *Les Sopranos.*

Marina Orsini
Actrice québécoise, bon visage.

Marie-Christine Devost
Ancienne collègue de la salle des nouvelles de CKVL. Caractère.

Pierre Dumont
Agent de François Pérusse, sportif.

José Gaudet
Une des deux *Grandes Gueules.* Joyeux luron, toujours en folie, père de deux jeunes enfants.

Richard Turcotte
Animateur des *Grandes Gueules.*

Vingt-sixième nuit

MARDI 14 DÉCEMBRE 2004

97. Le coureur dans la lune

J'assiste à une partie de fast-ball de fort calibre. Je suis directement derrière le marbre. C'est 3-2 pour l'équipe en défensive, dernière manche.

Il y a un coureur au premier but, un autre au deuxième but. Le frappeur cogne un double dans l'allée de puissance à droite.

Mais le coureur sur le deuxième coussin est dans la lune et n'a rien vu.

Il reste sur place, sans bouger.

Son coéquipier au premier but est parti comme une flèche sur le coup. Quand il a constaté l'inertie de son chum, il a crié.

« Aye, qu'est-ce que tu fais là ? Grouille ! Grouille ! »
Le lunatique refuse.
« Pourquoi ? !
— Ta gueule, pis cours ! »
Le type éclate en pleurs mais décolle tout de même.

Il marque le point égalisateur, l'autre suit avec le point gagnant.

Mais il pleure quand même.

Une victoire qui blesse. Je ne comprends pas.

98. Les faux muscles

Partie de soccer sur un grand terrain.

Parmi les joueurs, mon beau-frère Pierre.

Tous les joueurs sur le terrain sont torses nus et tous les dos qu'on voit semblent très musclés, très découpés.

Mais ce n'est qu'illusion, ce ne sont pas des muscles, mais des empreintes sur la peau. Constitué de barres métalliques, le dossier du banc des joueurs laisse ses traces sur la peau en dessinant des muscles.

99. Radio matinale

Dans une salle de *meeting* avant une émission de radio, c'est plein de boucane de cigarette malgré l'interdiction de fumer.

Je suis pressé, l'émission commence bientôt.

Jacques Parisien arrive avec deux valises.

Préoccupé, il ne s'aperçoit pas que tout le monde fume et monte dans son bureau du deuxième étage.

J'entre dans le studio, tous les fils sont entremêlés.

Les micros sont débranchés, tout comme les casques d'écoute.

J'ai à peine le temps de tout rebrancher et, pris de court, je dis des âneries en ondes.

Tout ce public qui pensera que je suis un con, *shit*.

Gregory Charles fait l'émission avec moi.

Nous allons chercher un café dans une machine.

Cinquante sous par café, même si les verres sont tous petits.

Il est 5 h 30 et déjà les vendeurs de la station sont en *meeting*.

Hors d'ondes, la coanimatrice (un mélange de Marithé et de Josée Boudreau) tente de me séduire, en collant sa cuisse sur mon centre récréatif.

Elle est convaincue que je craque.

« Écoute, Marithé, ça fait 22 ans qu'on se connaît. Relaxe... »

À l'extérieur du studio, un chiot golden retriever suit la fille qui distribue les chèques de paye et s'endort.

L'invitée à l'émission est Véronique Le Flaguais.

NOUVEAUX PERSONNAGES

Pierre Gagnon
Le mari de ma sœur Danielle, né en 1951. Homme bon et dévoué.

Marithé Bellavance
Ancienne animatrice à CKOI.

Josée Boudreau
Ancienne coanimatrice avec Martin Petit, à Énergie.

Véronique Le Flaguais
Actrice québécoise, femme de Michel Côté.

Vingt-septième nuit
MERCREDI 15 DÉCEMBRE 2004

100. Massacre en République dominicaine
Je suis déguisé en Père Noël.

Un vieux costume miteux avec une barbe sale et laide.

Je veux aller montrer le costume à mon oncle André et ma tante Janette qui ont quitté les tours olympiques et sont revenus dans leur ancienne maison à Saint-Martin.

Ils ont besoin d'un Père Noël.

Mon oncle Ernest me croise au retour et me dit d'écouter les messages sur mon répondeur.

J'écoute.

Il y a un message de Mario Tessier, qui est en République dominicaine. Il a été obligé d'abandonner sa voiture, une très vieille Chrysler que son père lui a prêtée.

Il est au cellulaire.

« Chris, écoute : j'ai la peur de ma vie. Je suis caché dans une montagne. Je veux pas mourir. J'ai jamais vu ça. Aide-moi. »

Il y a un massacre en République dominicaine.

La République dominicaine est devenue le Rwanda.

C'est la révolte du peuple contre les touristes. Ils sont massacrés.

Partout, ils sont empalés dans les clôtures dans leurs beaux vêtements de touristes maintenant maculés de sang. Des cadavres partout.

Les touristes sont pourchassés et tués dans tous les coins du pays.

En même temps, à la télévision, un témoignage de Michel Bergeron.

Il s'en est sauvé de justesse. Il décrit ce qui se passe là-bas sur des images du massacre.

« *C'est épouvantable, il y a des cadavres partout. C'est terrible.* »

Il était sur le même vol que Caroline Brunet. Caroline a rapporté plein de meubles antiques.

Elle doit patienter à la douane, en espérant qu'elle ne s'est rien fait voler.

Chez moi, ma sœur Danielle essaie de me réconforter.

« *C'est inutile de t'en faire. On n'y peut rien.* »

Je ne sais pas comment réagir. J'étais supposé être en vacances en République dominicaine avec France, Pierre Spinelli et son épouse.

Nous avons dû annuler à la dernière minute.

À Météo Média, Roger Gosselin montre des images d'Haïti. Le temps y est magnifique, les images splendides, tout le contraire du pays voisin. M. Gosselin donne la météo dans une dizaine de langues.

Il souligne le contraste entre les deux pays.

La République est aussi aux prises avec des catastrophes naturelles.

101. Laurence et Laurence

Je vois Laurence Jalbert.

Elle a le cancer. Le visage fade, la tête rasée.

Pour lui faire plaisir, je lui demande son autographe.

Elle n'a pas la force de signer, mais elle me présente à une deuxième Laurence Jalbert, comme un clone.

Cette deuxième Laurence est *top shape*, toute en chevelure et en santé. Elle voudrait bien me signer son CD, mais elle pense qu'il ne lui en reste plus. Elle m'offre de signer une affiche.

La première Laurence lui dit de regarder comme il faut.

Elle regarde dans la valise d'une auto. Elle y trouve un CD. Puis un autre. Et un autre.

Bientôt toute la collection de tous ses CD (une cinquantaine), des vidéos, DVD, cassettes de tournages. Il y en a une caisse pleine.

Avec un autre gars, je transporte le tout chez moi.

Alors les caisses se transforment en un tronc d'arbre. Un long tronc d'épinette ébranché.

Nous avons de la difficulté à passer le tronc par-dessus la clôture.

102. La moustache

Je me suis laissé pousser une moustache.

Mais elle est trop touffue. Je ne sais plus comment la tailler. Je tente de le faire devant le miroir avec mon rasoir électrique, mais le poil tombe partout.

Je dois enregistrer une émission spéciale avec Geneviève Borne.

Je me dis qu'il faudra que je sois très intéressant, sinon elle ne m'écoutera pas, elle va regarder ma moustache.

Et je sais qu'elle est laide et mal taillée.

103. La plage

France et moi sommes en retard pour prendre l'avion.

Nous étions endormis sur une plage. Pour faire vite, pas question de marcher sur le sable, mais sur une rampe très étroite, juste au-dessus de l'eau, tout le long de la plage. Exercice difficile.

104. Fore!

Je suis au départ d'un trou de golf, le long d'un boulevard avec terre-plein.

Avec Chico. Je joue un excellent match jusqu'ici.

Par prudence, j'utilise mon fer 7.

Malheur, je frappe un spectaculaire crochet et la balle s'en va directement dans la porte d'un bungalow de l'autre côté du boulevard. Chanceux! Elle bondit sur la porte avant et revient dans le milieu de l'allée.

Chico s'installe pour frapper à son tour.

Un homme et son jeune fils sortent de la maison. Ils apportent avec eux un divan, une télévision et un tapis. Ils s'installent au milieu de l'allée face à nous.

L'homme crie, frustré.

« *Vous voulez absolument nous frapper dessus ? ! Imbéciles !*
Envoyez ! Frappez vos balles ! Tuez-nous ! Assassins ! »
Nous sommes sidérés.
Je suis intimidé.
Parce que je sais que c'est moi qui devrai aller négocier
pour qu'ils quittent les lieux.

NOUVEAUX PERSONNAGES

Tante Janette Tétreault-Lauzon
La femme de mon oncle André. Ma voisine toute ma
jeunesse.

Oncle Ernest Tétreault
Le frère aîné de mon père. Décédé du cancer, il y a quelques
années, avec une résignation touchante. Psychiatre.

Michel Bergeron
Ancien entraîneur de hockey devenu analyste.

Caroline Brunet
Kayakiste olympique avec qui j'ai correspondu pendant les
Jeux d'Athènes. Elle écrit comme si elle avait fait ça toute sa
vie.

Danielle Tétreault
Ma sœur aînée. Une brillante, humaine et gentille.
Toujours prête à écouter, à aider. Cœur ouvert.

Pierre Spinelli
Celui qui me vend mes voitures depuis 15 ans.
Sympathique et vif. S'est sorti vivant d'un combat contre la
bactérie mangeuse de chair.

Roger Gosselin
Ancien annonceur du canal 10.

Geneviève Borne
Jolie animatrice.

Vingt-huitième nuit

105. Violence à l'épicerie

Je suis à l'épicerie.

Une petite épicerie imaginaire très chaleureuse.

Depuis huit ans, j'en suis un fidèle client.

Dans cette épicerie, il y a une tradition particulière. Le client achète ses victuailles, se trouve un petit coin libre sur les tablettes de l'épicerie (le boss libère toujours de l'espace) et y place ses achats.

Deux nouveaux clients sont dans l'épicerie.

Il y a un grand et un petit avec une vilaine peau.

J'ai acheté ce que j'avais à acheter et n'ai pas trouvé d'espace libre sur les tablettes pour ranger mes emplettes. Les deux nouveaux clients ont pris les derniers espaces libres.

Je suis en crisse.

Pour adoucir ma colère, un des deux m'a donné cinq dollars en monnaie.

J'ai pris son argent et je lui ai mis de force dans la bouche pour lui faire avaler. Il a avalé les sous sans protester, conscient d'avoir pris une tablette sans respecter mon droit d'aînesse. Au plus petit, une face à fesser dedans, un baveux, j'ai donné une claque sur la gueule. Il n'a pas répliqué, sinon en parole.

France, qui était allée faire d'autres courses, est revenue.

Elle est impatiente parce que la banquette arrière ne se plie plus.

Elle a tourné en rond pendant de longues minutes dans le stationnement sans trouver de place libre. Pourtant, j'en avais réservé une.

C'est le petit baveux à la vilaine peau qui l'a aussi piquée, l'écœurant.

Guy Mongrain est sur place et tente de ramener tout le monde, surtout moi, à de meilleurs sentiments.

J'engueule aussi l'épicier.

« *Ça fait juste huit ans que j'achète ici, monsieur! Il me semble que j'aurais droit à un peu plus de respect. Pourquoi y'a pas d'espace pour moi sur vos tablettes?!* »

L'épicier m'explique qu'il mettra bientôt fin à cette pratique.

Il a découvert qu'il est plus utile de se servir des tablettes pour y ranger son propre inventaire, mais il était gêné d'en parler aux clients.

« *En plus, je peux agencer les produits selon leur couleur.* »

Je suis bouché.

106. Notre véhicule est accidenté

France, Francis et moi allons chercher un nouveau chien.

Nous sommes dans le 4x4 orange métallique.

On doit prendre Simon (redevenu un petit garçon de huit ans) chez son ami Hugo. J'étais allé le conduire ce matin.

Hugo demeure sur un coin de rue, chez sa mère.

J'arrive sur place. Je stationne le véhicule sans éteindre le moteur.

Je sonne.

La mère de Hugo répond.

Elle aussi s'appelle France. C'est une blonde fadasse qui a l'air malade.

Il n'y a pas de porte. Il n'y a que la moitié d'une petite clôture de sécurité, celle qui se plie comme un accordéon.

Simon n'y est pas.

La mère de Hugo nous invite à revenir demain.

« *La porte va être ouverte.* »

Y'a pas de porte, madame. Y'en n'a pas, de crisse de porte, ai-je pensé.

En revenant au 4x4, je réalise que Simon est là.

Comme si on avait fait tout ce chemin-là pour rien.

Il était dans le véhicule depuis le départ de la maison.

Le camion a été sévèrement accidenté.

Tout le bas du camion est plié comme un accordéon, de sorte que le camion rétrécit d'un bon pied et l'aile avant touche à la roue.

Je suis paniqué. Je ne m'en étais pas rendu compte.

D'autant plus que le camion n'est pas à moi.
Je dois le rapporter à son propriétaire demain. Ça va mal.

Obstination : qui a magané le camion ?
Nos doutes se portent naturellement vers Francis qui s'en
défend.
Simon dit que ça s'est passé à la radio, hier.
Qui sait ?

NOUVEAU PERSONNAGE
Guy Mongrain
Animateur à TVA. Je l'ai connu au cégep, en 1973.

Vingt-neuvième nuit
VENDREDI 17 DÉCEMBRE 2004

107. Ma bouche est pleine
Ça a débuté par une petite infection dans la bouche.
Comme un ulcère.
L'enflure a commencé à l'intérieur de la joue droite et a vite
pris des proportions inquiétantes.
Je tente de ne pas paniquer en me disant que c'est une
inflammation majeure, mais pas nécessairement
dangereuse.
Colette, ma voisine, est à la maison.
Colette est infirmière, alors je lui montre le « bobo ».
J'ouvre la bouche et je vois dans son visage que c'est très
grave.
Dégueulasse.
« *Va tout de suite à l'hôpital. Vite. Passe par le dérogatoire au
premier étage.* »
Je pars avec France tout de suite.
Dans l'auto, pour me rassurer, je demande à France de
regarder.
L'enflure me remplit presque complètement la bouche.

France regarde et passe à un cheveu de perdre
connaissance.
Il faut que je respire par le nez et je n'ai qu'une narine qui
fonctionne.
On accélère vers l'hôpital et j'ai peur.

NOUVEAU PERSONNAGE
Colette Boivin
Ma voisine, mère de deux adolescentes.

Trentième nuit
SAMEDI 18 DÉCEMBRE 2004

108. Le Caesar's Palace en décrépitude
J'habite chez ma mère. Je suis revenu tard en soirée sur
mon tricycle à moteur, version originale et moins puissante
qu'un scooter.
Le lendemain, je pars pour le Caesar's Palace de Las Vegas.
Je suis conscient que je rêve.
Je sais qu'à chaque fois que je me retrouve à Las Vegas en
rêve, pour toutes sortes de raisons, je ne parviens jamais à
jouer.
Mais je ne prends pas de chance et j'y vais quand même.
Il y a beaucoup de gros panneaux et de spots de publicité
pour le spectacle de Marc Labrèche. *Les Aiguilles et l'Opium*
de Robert Lepage.
Gros hit à Vegas.
Le Caesar's Palace a vieilli et est au bord de la faillite.
La place est laissée à l'abandon. Les filles qui y travaillent
ont les bas déchirés. Elles sont déprimées. L'ambiance n'y
est pas. Je n'ai qu'un 5 dollars et un 10 dollars canadiens
friponnés dans les poches de mon manteau de cuir Énergie.
Je cherche une place pour changer mes dollars en jetons
pour jouer.
J'ai aussi, en fausse monnaie américaine, un billet de
5 dollars et un autre de 187 dollars.

Une première préposée, québécoise francophone, refuse de me donner de la monnaie.

J'en vois une autre près de l'entrée. Elle a les bas troués. Elle n'a pas de jetons. Les machines à sous sont presque toutes disparues.

Celles qui restent sont tristes et poussiéreuses.

Un grand et gros Italien me *crouse* autour d'une table de Craps.

Il me suit partout et finit par me demander :

« *Ça te tente ?*

— *Es-tu malade ?!* »

J'ai eu peur. Il m'a foutu la paix.

Je quitte le casino. Je réalise que j'ai oublié mon manteau à l'intérieur.

Je fouille dans le restant du vestiaire. Je cherche, je cherche, puis j'en vois un. Je le mets et réalise que ce n'est pas le mien.

Le mien est « 94,3 Énergie », celui-ci est « 93,5 Énergie ».

J'ai l'impression qu'il appartient à Charles Benoît.

L'intérieur des manches est déchiré.

Je le mets et je quitte.

109. Anecdote de sport

Michel Villeneuve raconte une anecdote et la mime, en même temps qu'il la raconte. Il est avec Jean Pagé et Réjean Tremblay.

L'histoire du directeur gérant d'une équipe de sport qui annonce une transaction à un de ses joueurs.

« *Réjean, va t'asseoir là-bas. Je veux dire à Pagé que t'as été échangé à Pittsburgh, mais je veux pas que tu m'entendes. Ça s'est passé comme ça, les gars. Juré.* »

110. L'eau vive

Un beau ruisseau très propre.

L'eau qui y court en petites cascades pressées et délicates, est limpide et froide. Le fond est de cailloux colorés. Une eau potable.

Je suis d'un côté du ruisseau et ma sœur Sylvie de l'autre.

Nous ramassons des canettes de Coke Diet vides dans le fond du cours d'eau. On les voit clairement.
Il y a aussi, de mon côté, un petit pot cassé.

111. Le poulet est-il encore bon ?

Depuis un mois, mon attaché-case est dans mon auto. Dans l'attaché, il y a un poulet cuit complet très épicé, coupé en deux moitiés. C'est l'hiver et il fait −15 degrés depuis un mois, mais le temps s'est beaucoup réchauffé depuis deux jours et je me demande si mon poulet est encore comestible. Il n'est plus congelé.
Je fais le tour de la place pour demander l'opinion des autres.
Je vois Monique Giroux, des Expos. Avant même que je ne lui demande, Monique a vu mon poulet et en a pris un morceau. Elle l'a bouffé.
Elle adore le poulet épicé.
J'ai quitté avec ce qui restait de mon poulet.
J'en ai mangé juste une petite bouchée par peur d'être très malade.
Je crains l'indigestion.

112. Le dessinateur pamphlétaire

Je regarde des extraits de la guerre d'Irak à la télévision.
Je suis avec un type que je ne reconnais pas. Un pamphlétaire. Un artiste indépendant qui gagne sa vie en critiquant la société avec de très beaux dessins au crayon de plomb. Des dessins très réalistes qu'il expose dans les brasseries.
Il m'avait déjà montré son portfolio complet.
On se dit que les gens qui meurent en Irak n'ont plus aucun impact sur nos consciences. Leur massacre est tellement répétitif qu'on prend la guerre pour un film plate, rien de plus.
« Ça ne se passerait pas comme ça si ces tragédies quotidiennes avaient lieu ici, à Sainte-Thérèse. »
Pendant qu'on parle, il dessine un hôtel rustique, avec perspective à vol d'oiseau.

Je regarde ses œuvres avec Simon.

Il y a un portrait de moi, plus jeune.

Un client du nom de Gaétan Tétreault (que je ne connais pas) m'a reconnu et s'apprête à acheter le portrait.

L'artiste me dit que le propriétaire de la Brasserie du Boulevard, sur la 117 à Sainte-Thérèse, Jean Tétreault, voudrait me rencontrer et lui a demandé mon adresse.

Je lui dis que je connais le gars. J'ai joué au hockey contre lui quand j'étais adolescent.

113. Météor 1965

Une vieille Météor 1965 est stationnée le long d'une route.

France est à l'extérieur de l'auto, côté conducteur.

Je suis assis derrière à droite.

À côté de moi, la propriétaire de l'auto : une femme juive de 40 ans, maquillée, très typique.

France suit des cours de couture avec la mère de cette femme.

La mère est dans une auto derrière et s'approche de nous.

France remarque qu'elle a un sac d'emplettes semblable au sien.

Elle lui parle.

« Tiens, vous magasinez au même endroit que moi. »

La vieille dame s'approche et regarde à l'intérieur de la voiture, la vitre est baissée. Elle me reconnaît.

« Vous êtes le mari de France ? Je trouve que vous êtes un écrivain formidable. Mon mari est aussi écrivain. Mais vous êtes meilleur que lui. Je suis enchantée. »

Comme elle me parle, la voiture s'est mise à avancer.

Il n'y a personne au volant.

France tente de l'arrêter, n'y parvient pas.

Je dois sauter par-dessus la banquette avant, sortir mon bras par la vitre avant et tasser les autres voitures avec ma main pour éviter les collisions.

114. Les seins d'Alys

Je suis à l'ordinateur avec Francis.
Le téléphone sonne juste à côté. France répond, c'est
Colette la voisine.
Elle raconte à France que je viens d'appeler chez elle et que
c'est sa cousine Guylaine qui a répondu. Elle dit à France
que j'ai fait une blague à sa cousine en demandant à parler
à Alys Robi.
Guylaine m'a alors répondu qu'elle ne ressemblait pas à
Alys Robi, sauf au niveau des seins.
« J'en ai des plus beaux qu'Alys ! »
France a raccroché, frustrée.
Francis et moi, on se regarde, interrogatifs.

115. Motos de police et gros vers gris

Je suis en moto, sur une route à simple voie, deux sens.
Devant moi, un gros camion arrêté.
Je m'avance pour le doubler et je vois que, en sens
contraire, un autre camion est aussi arrêté sur l'accotement.
Au loin, toujours en sens contraire, je vois une motocyclette
de police, puis une autre, puis plusieurs autres.
Je ne peux pas passer, je dois me tasser complètement sur le
camion dans ma voie pour éviter les motos policières. Je
sors de l'auto.
Je vois que les policiers vont vers un autre véhicule duquel
s'échappe une colonne de fumée.
Je décide d'attendre sur place que tout redevienne normal.
France est juste à côté de la route avec Joséphine et attend.
Je vais la rejoindre.
Nous sommes sur une mince couche de neige durcie.
J'aperçois soudainement que la neige bouge.
Comme un bouillonnement. Partout sous la couche de
neige, il y a des gros vers. Gros comme des vers à soie.
Ils sont gris et sautent partout, comme s'ils voulaient sortir
de sous la neige. Il y en a des centaines.
J'ai peur.

NOUVEAUX PERSONNAGES

Robert Lepage
Auteur québécois international. Grand créateur.

Michel Villeneuve
Chroniqueur sportif frondeur et coloré.

Jean Pagé
Animateur de sport à la télévision.

Réjean Tremblay
Chroniqueur de sport. Il m'a blessé.

Sylvie Tétreault
Ma sœur cadette. Née en 1957. Généreuse, rieuse, travaillante et ordonnée. Amie des bêtes.

Jean Tétreault
Pas de lien de parenté. Ancien adversaire au hockey.

Alys Robi
Chanteuse des années 1940. Très grande vedette.

Trente et unième nuit
DIMANCHE 19 DÉCEMBRE 2004

116. Le début de la vie
Je suis dans une salle de projection pour regarder un vieux film de l'ONF sur le début de la vie.
À partir de l'ovule jusqu'à la naissance.
Je suis avec Francis.
Une fille entre dans la salle pour voir ce qu'on regarde.
Elle ressemble à un boxeur, avec son nez aplati, mais je la trouve néanmoins sexy. Je ne suis peut-être pas normal.

117. Joséphine est vivante
France et moi, en promenade sur le trottoir longeant un boulevard inconnu.
Vaguement Pasadena, Californie.

Joséphine, qui n'est pas habituée à voir des autos, ne réalise pas le danger et marche au milieu de la rue, dans le sens contraire des autos.

Une voiture décapotable, le toit ouvert, arrive vers elle et ne semble pas vouloir ralentir.

Il y a trois passagers dans la voiture, des vieux.

Le conducteur a une affreuse perruque brune.

Il a aussi le visage enduit de crème vaguement transparente, qui voile une vilaine maladie de peau.

La voiture ne ralentit pas et passe sur Joséphine.

Je suis catastrophé.

Le vieux fou n'a rien fait pour l'éviter.

Miraculeusement, Joséphine n'a pas une égratignure, elle s'est penchée et l'auto ne l'a pas touchée. Elle pense que la voiture veut jouer avec elle et court après. Elle saute sur la banquette arrière, entre les deux vieux passagers. Elle est assise là, contente. Elle souffle avec la langue sortie.

Je cours à mon tour derrière l'auto en criant.

« Aye ! Mon chien est dans votre auto !!! Aye !!! »

Ils ne m'entendent pas.

Ils se rendent compte de la présence de Jos à un arrêt.

Je les rejoins et j'engueule tout le monde. Je rage.

Le conducteur au visage fantomatique et à la perruque qui n'a rien fait pour éviter mon chien. J'engueule Jos parce qu'elle ne se rend pas compte de sa stupidité et qu'elle est contente, la sotte.

Trente-deuxième nuit
LUNDI 20 DÉCEMBRE 2004

118. Reconstruction chez le voisin
Richard, notre voisin de droite, a entrepris un projet.

Il a jeté sa maison par terre et s'apprête à la reconstruire en plaçant sa demeure dans le fond du terrain.

Sa cour sera devant.

Il est au téléphone sur le toit de sa nouvelle maison.

Je lui crie.

« Richard ! Y se passe quoi avec ton lavabo ? »

Je faisais allusion à sa piscine creusée.

« Je l'installe en avant. Elle est encore top shape *! »*

Je vois sa piscine sur un gros tas de terre.

Elle n'est pas *top shape,* elle est brisée.

Pourquoi me ment-il ?

Il a peut-être peur que je pense qu'il est pauvre.

119. Animaux de compagnie

Nous avons perdu Joséphine et cherchons un nouvel
animal de compagnie. J'amène à la maison un cochon gris.

Un gros cochon très intelligent.

Pour passer le test, je vais prendre une marche avec le
cochon et Simon.

Simon est inconfortable de flatter un cochon.

Chez nous, le cochon a laissé des traces de pas dans la neige
sur le balcon arrière.

Je me suis caché sur le côté du garage pour fumer.

Quand je suis revenu à l'intérieur, le cochon s'était
transformé en grand danois.

Un beau noir très doux. Je suis content.

Tout le monde l'aime.

NOUVEAU PERSONNAGE

Richard Auclair

Notre voisin. Jeune avocat, bon père de famille.

Trente-troisième nuit

MARDI 21 DÉCEMBRE 2004

120. Franco flushé

Dans la maison voisine, il y a un gros party.

Des journalistes du *Journal de Montréal* fêtent deux d'entre
eux.

Je vais faire un tour et je croise Franco Nuovo.

Il m'apparaît plus prétentieux que jamais.

Sa blonde, une autre journaliste, vient de le flusher. Elle est contente de s'en être débarrassé et tente de séduire mon frère Alain. Franco joue à l'indépendant. Il fait comme s'il n'était pas du tout affecté.

Mais je sais qu'il l'est.

Un valet se promène avec une assiette pleine de sushis au fromage fondu.

121. Conférence de presse au Centre Sportif Laval

NOTE *J'ai été pensionnaire au Collège Laval, entre 1966 et 1970. Depuis ce temps, le collège est devenu une scène récurrente dans mes rêves. Je retrouve toujours ses corridors et ses salles avec émotion, heureux de voir que, fondamentalement, je suis toujours un collégien incompétent.*

Je vais assister à une conférence de presse au Centre sportif Laval.

La Ligue de hockey junior majeure du Québec annoncera l'arrivée d'une nouvelle concession, à Laval.

L'équipe sera parrainée par une ancienne étoile de la Ligue nationale dont l'identité a été gardée secrète.

Rendu sur place, je parle au téléphone avec Mike Bossy qui me dévoile le nom du gars. Je pensais que c'était un gros joueur, mais c'est un ancien joueur des Kings de Los Angeles, à peine connu.

Un dénommé Frolon.

Au moment où j'arrive, Frolon se fait bombarder par les photographes tout près de l'autobus dans lequel il était caché.

Je dois me stationner.

Je réalise que j'ai laissé une télévision et un vidéo dans une remorque attachée à mon véhicule.

Par mesure de sécurité, je demande à Simon de les ranger dans mon véhicule, un Mazda Tribute orange.

Un peu à l'écart, Régis Lévesque donne une entrevue à une jeune journaliste. Régis explique qu'il a déjà tenu le rôle du premier ministre à la radio, il y a quelques années, mais que sa carrière d'acteur marche au ralenti.

On lira ses propos demain dans le journal.

Un inconnu vient me rejoindre dans le stationnement, mais je n'ai pas le temps de lui parler, je dois entrer dans le Centre sportif.

Les organisateurs m'ont vu et sont fiers que j'y sois.

Dans ma Mazda, il y a plusieurs petites bouteilles de yogourt liquide.

En me rendant dans le Centre, je vois derrière moi un chat orange. Le chat a cette particularité : pour descendre les rues en pente, il se met tout en boule, devient une roue, roule jusqu'en bas et redevient un chat.

NOUVEAUX PERSONNAGES

Franco Nuovo
Chroniqueur au *Journal de Montréal*.

Alain Tétreault
Mon petit frère, né le 27 janvier 1963. Il est arrivé chez nous le 21 mars 1964 de la crèche. Un des plus beaux jours de ma vie.

Mike Bossy
Ancien joueur étoile de la LNH devenu un bon copain.

Régis Lévesque
Promoteur de boxe, coloré.

Trente-quatrième nuit
MERCREDI 22 DÉCEMBRE 2004

122. Le travailleur du sable est exploité
J'ai un travail d'été.

J'aide un monsieur à étendre du sable à toutes sortes d'endroits. Dans les jardins, les cours, sur des terrains privés et publics. Nous transportons des poches de sable.

Le monsieur est payé « à la poche ». Bien entendu, les poches sont très pesantes. Et le sable est beau.

Il travaille fort, à la sueur de son front, et ne se plaint jamais.

Ce n'est pas son véritable travail.

Il tente de se faire un revenu d'appoint, il a perdu son emploi.

À l'heure du lunch, on reçoit la visite des employeurs du monsieur.

Deux hommes douteux. Des croches.

Un des deux a une poche avec lui.

Ils confrontent le monsieur.

« *Vieux salaud, ce n'est pas du sable que tu étends partout, c'est de la roche et voici la preuve.* »

Ils éventrent le sac qu'ils transportaient. Plein de roches. Pas de sable.

« *Et tu penses qu'on va te payer ?! Jamais ! T'auras pas une cenne !* »

Ils lui donnent des coups. Je vois la scène et je pète les plombs.

J'engueule les deux bandits. Je crie à l'injustice. Au mensonge.

« *Si vous voulez, on va faire le tour de tous les endroits où on a mis du sable, on va creuser le sol et vous allez voir. Bandits !* »

Les deux matamores se foutent de moi et retournent à leur véhicule en laissant le bon monsieur dans tous ses états.

Il ne pleure pas et semble résigné à subir l'injustice.

Derrière moi, il y a mon ami le partisan de baseball handicapé mental sur son tricycle qui m'encourage à continuer à vilipender les deux rats d'égout.

Je rejoins d'autres travailleurs dans le fond d'un champ pour dîner.

123. *A Clockwork Orange*

Francis, France et moi entrons dans un magasin de tissus. France veut aller voir la chambre qu'on lui a demandé de décorer dans le magasin. C'est elle qui a tout pensé dans cette chambre. La tapisserie, le couvre-lit, les rideaux, les draps. Beaucoup de couleurs vives.

Une chambre à son goût qui lui vaut plein de compliments et de félicitations de la clientèle.

Un type en complet cravate, qui travaille dans le magasin de tissu, s'approche de moi. Une face de vinaigre.

Il ressemble à Malcolm McDowell, l'acteur principal du film de Kubrick, *A Clockwork Orange* Il me parle en anglais.

« Est-ce que tu te souviens de ce que Pierre Trudeau a dit la première fois qu'il a été élu premier ministre de Canada, en 1968 ? »

Étonné qu'il se souvienne de ce détail, surtout que le gars n'a pas plus de 30 ans. Je réponds non.

« Viens, je vais te montrer. »

Il m'attire vers les toilettes des hommes, dans le fond du commerce.

Sur le mur dans la toilette, il y a des coupures de journaux. Des caricatures. Il en pointe une et me dit de la lire.

Le texte est assez long et je commence.

Pendant ma lecture, il tente de me tasser dans un coin.

Je lui mets la tête dans le lavabo.

Francis entend du bruit et vient voir ce qui se passe.

« Le salaud a essayé de m'agresser ! »

Quand il voit Francis, le voilà qui s'enligne maintenant sur lui.

Je remplis deux et trois verres d'eau chaude que je lui lance au visage.

Je sors des toilettes en demandant si quelqu'un le connaît. Personne ne le connaît.

J'entre à nouveau dans les toilettes. Le décor a complètement changé. Ce n'est plus une toilette, c'est une chambre avec plusieurs lits.

Il y a des gens que je n'avais pas vus avant. Des parents et des enfants.

Personne ne semble croire que le type tout mouillé soit dangereux.

J'avertis quand même un père de famille de surveiller son jeune fils.

« T'inquiète pas, je l'ai à l'œil. »
Un autre me demande s'il devrait s'inquiéter pour sa
femme, qui est enceinte de sept mois.
« Non. Il n'est pas dangereux pour les femmes. »

124. Des cadeaux bleus

France me dit qu'il y a un paquet de Jacques Parisien pour
moi dans la boîte aux lettres devant la maison.
Un savon bleu foncé, une balle de golf bleu foncé et une
note manuscrite.
*« Je pourrai aller luncher comme prévu la semaine prochaine,
mais je ne pourrai pas aller jouer au golf. Par contre, tu
pourras jouer avec le comptable principal de la compagnie, un
chic bonhomme. »*
France est certaine que c'est une manœuvre pour que j'aille
passer l'après-midi en cachette avec Chantal Petitclerc sur
le mont Royal.
Félix, qui vient d'arriver à la maison pour passer quelques
jours en famille, entend France et éclate de rire.

125. La formule U-4

Benoît Chartier se fait payer une pizza par un inspecteur de
l'impôt qui cherche le nom de mon comptable. Le gars
pense que mon comptable s'appelle Sydney. Il veut lui
remettre des formules U-4.
Ça me tape sur les nerfs, d'autant plus qu'il est 3 h du
matin.

126. La nuit du Saint-Hubert

Je cherche ma sœur Jocelyne qui travaille chez Astral.
Elle a organisé la nuit du Saint-Hubert.
Elle a commandé du poulet, en pleine nuit, pour toutes les
filles qui avaient 1 an, 5 ans et 10 ans d'ancienneté.

127. René est tanné

Je suis dans une voiturette électrique de golf avec René
Brisebois.
Il fait la baboune et veut foutre le camp.

NOUVEAUX PERSONNAGES

Malcolm McDowell
Acteur anglais, *A Clockwork Orange.*

Pierre Trudeau
Ancien premier ministre du Canada.

Chantal Petitclerc
Athlète en fauteuil roulant.

Benoît Chartier
Scripteur que je connais depuis 1984. Sportif. Drôle. Fin.

René Brisebois
Scripteur des *Boys 1, 2, 3* et *4.* Ami, amateur de baseball.

Trente-cinquième nuit
JEUDI 23 DÉCEMBRE 2004

128. Hockey

Je joue au hockey sur une belle glace intérieure. Lisse et dure.
Je patine comme Dieu.
On dirait que j'ai 22 ans. Ultrarapide, habile, mes patins
coupent, je tourne à gauche à droite, par devant, par derrière.
Plus fort et plus vite que tout le monde.
La rondelle est toute petite, comme une rondelle de jeu de
table.
Parmi mes coéquipiers, il y a Daniel Evans et il est poche.
Je m'empare du disque et fonce en zone adverse.
J'arrive devant les deux grands et gros défenseurs. Surprise :
c'est Robert Leduc et Benoît Roussy.
J'ai compté un but du centre de la glace : un long tir des
poignets qui a déjoué le gardien, Patrick Huard, du côté de
la mitaine.
Je patine trop vite pour la rondelle.
Patrick doit quitter le match. Il se déshabille sur la
patinoire. Il fume. Je lui demande une cigarette.
Il fume des Craven « A ».

Il m'en donne une en me demandant de lui tenir des propos «dominé-dominant». Je ne sais pas quoi lui dire. Juste comme j'allume, Simon arrive. Il m'a vu allumer la cigarette. Il est fâché. Je n'ai même pas eu le temps d'expulser la fumée.

Hypocrite, je tente de l'éteindre.

Je me trouve stupide.

129. Les valises au Mexique

France et moi avons passé une semaine au Mexique. Les vacances sont terminées. C'est moi qui prépare les valises pour le retour.

Linda Sorgini est dans le stationnement de l'hôtel, elle cherche une valise.

«J'ai perdu ma valise "Fahrenheit".»

Elle est déprimée. Elle se demande où elle l'a laissée.

A-t-elle été volée? Qu'y avait-il dedans? L'a-t-elle utilisée pour transporter des choses et oubliée sur place?

Je sympathise.

Mes valises à moi sont parfaites. Tout est bien placé, il ne manque rien. J'ai fait le tour des tiroirs et des placards. J'ai trouvé des photos dans un tiroir, mais ce n'étaient pas les miennes.

Notre avion quitte bientôt.

Un chariot s'éloigne avec un tas de valises, je le surveille en le suivant et je vois une boîte qui semble vouloir tomber.

Je veux la replacer, mais la boîte tombe.

Il y avait des pommes dedans.

Je ramasse le tout et remets la boîte dans le chariot.

NOUVEAUX PERSONNAGES

Daniel Evans
Préposé à la circulation sur Énergie.

Robert Leduc et Benoît Roussy
Deux anciens chums du Collège Laval. 1966-1970.

Linda Sorgini
Actrice qui fait rire et pleurer.

Trente-sixième nuit
VENDREDI 24 DÉCEMBRE 2004

130. Le vélo noir est disparu
La scène se passe dans un commerce de gardiennage de vélos.

Le commerce est géré par deux religieuses.

Elles y vendent aussi du yogourt liquide fait maison dans 50 saveurs de fruits. Elles gardent les vélos pendant que leurs propriétaires vaquent.

France est allée souvent.

J'y ai laissé son vélo, un vieux vélo noir.

Quand je suis revenu, le vélo avait disparu. Je demande aux deux religieuses de venir voir avec moi. (Peut-être que je ne souviens plus à quoi ressemble le vélo ?) Je vois le vieux vélo brun de Francis, légèrement modifié, mais je ne vois pas le noir de France.

France arrive et je lui annonce la nouvelle. J'ai peur qu'elle ne se choque.

Mais non, elle est même contente.

Elle décrit son vélo aux deux religieuses. Mais le vélo qu'elle décrit n'est pas le même que je me suis fait voler. Elle a un plan.

« *On va fourrer les assurances.* »

Elle fait la description d'un superbe vélo bleu à 12 vitesses. Un vrai beau.

Et elle prend un verre de yogourt liquide.

Trente-septième nuit
SAMEDI LE 25 DÉCEMBRE 2004

131. Chicane de petits bonhommes
Philomène et Sloggo (de la bande dessinée) se disputent à la porte d'un gymnase.

132. Le phare avant gauche de la vieille Volvo

Je suis avec Simon dans la Civic bleue. Je dois faire une
course pour maman au dépanneur du bout de la rue.

Il y a une glace vive sur la rue.

« Est-ce que c'est vraiment glissant, p'pa ? »

Je fais plusieurs 360 degrés consécutifs sans même appuyer
sur l'accélérateur. Simon a peur. Il n'en revient pas. Il pense
qu'on devrait laisser tomber. Ça n'a jamais été si glissant.

Je lui dis de prendre le volant.

*« La seule façon de conduire, dans ces conditions, c'est de
stopper le moteur, de mettre le bras de transmission au neutre.
Je te donne une poussée. Et tu glisses. »*

Simon s'installe au volant, je suis derrière et je lui donne
une puissante poussée. La voiture glisse et, au bout de
quelques mètres, Simon ne peut plus la contrôler.

Il y a des voitures stationnées plus loin devant lui dans une
entrée privée.

Je vois et je crains le pire.

Simon réussit à éviter deux voitures stationnées mais
frappe la troisième et fracasse le phare avant gauche. C'est
une vieille Volvo beige jaunâtre.

Une petite famille arabe apparaît, à pieds.

Un homme, une femme et un petit garçon qui a tout vu. Au
début, je pense que ce sont les propriétaires de la voiture,
mais non. Ils ne passent pas de remarques, font comme s'ils
n'avaient pas vu et quittent dans une autre auto.

Je dis à Simon de ne pas s'en occuper et de continuer au
dépanneur.

D'autant plus que la cour où est la Volvo a changé et est
devenue un grand stationnement de voitures accidentées,
qui doivent être réparées.

La Volvo était déjà maganée. Elle n'a même pas de roue.
C'est beaucoup plus une carcasse qu'une auto.

*« Une réparation de plus ou de moins, Simon, personne va le
savoir. Si on déclare, tu risques de perdre ton permis.*

*— C'est de ta faute, p'pa ! Tu savais que c'était glissant. Tu
m'as poussé comme un fou. Estie d'irresponsable !*

— Viens-t'en, Simon. »

133. Elle meurt à la fin

Je suis professeur de je ne sais quoi.

Les étudiants, des adultes, doivent m'inventer une histoire qui se termine par la mort d'une petite fille.

Cette petite fille peut avoir 1 an, 4 ans, 23 ans, 37 ans ou 58 ans.

NOUVEAUX PERSONNAGES

Philomène et Sloggo

Personnages de bande dessinée.

Trente-huitième nuit

DIMANCHE 26 DÉCEMBRE 2004

134. Chez Guzzi

NOTE *Guzzi, c'est le dépanneur de mon enfance. Propriété d'un petit Italien, M. Guzzi, et d'une petite québécoise, Mme Guzzi. Ils avaient quatre fils: Denis Guzzi, Ronald Guzzi, Bernard Guzzi (qui avait mon âge) et Alain Guzzi. Ils avaient acheté la vieille maison de Mme Trépanier et en avaient fait un petit magasin général. Ils me vendaient mes cartes de baseball et mon Crush au raisin.*

Je rencontre Yves Tremblay qui me demande si je vais à la fête qu'on a organisée pour Maurice Boyer, le célèbre joueur de quilles.

Je lui dis que je n'ai pas le temps et que je ne le connais pas, de toutes façons.

« Viens, je vais te le présenter. »

À pieds, Tremblay et moi allons chez Guzzi.

En entrant chez Guzzi, je tente de reconnaître un visage, mais je ne reconnais personne.

Des Pakistanais sont maintenant propriétaires du petit commerce.

Le petit commerce est divisé en deux: à droite en entrant, c'est comme avant: un comptoir. Du nouveau: le comptoir est surélevé, il ne l'était pas avant. Derrière ce comptoir, plein de Pakistanais enturbannés.

À gauche, un endroit où Mme Guzzi fait de la cuisine.

Des beignes et des gâteaux.

Dans la place, il y a Carole Bigras. Elle veut un beigne.

Le beigne de Carole est long à arriver et je suis pressé, j'ai un bulletin de nouvelles à livrer à Énergie dans 10 minutes. Je prends quand même le temps de choisir une palette de chocolat dans le comptoir. Une marque inconnue et très rare, avec des noix, dans un emballage de papier bleu. Le nom de la palette est long.

Le Pakistanais derrière le comptoir frenche un client pakistanais.

Je trouve ça dégueulasse.

En retrait, assise à une petite table tout près d'une fenêtre, il y a Carole Amyot avec deux jeunes enfants : un petit bébé naissant et une petite fille de deux ans et demi. J'offre de leur acheter quelque chose, mais ils viennent de manger. Je ne l'avais pas reconnue tout de suite. C'est elle qui m'a dit :

« Et moi ? Tu ne me reconnais pas ? »

Elle est plus jolie que dans mes souvenirs.

Le temps presse, le temps presse, et il y a de plus en plus de Pakistanais dans la place. Un des Pakistanais est maintenant un ami à moi. Il m'explique que le père d'un des propriétaires du commerce l'a accouché.

Le temps presse. Je dois quitter tout de suite.

Je sors un billet de 20 dollars et je le donne à ma cousine Monique qui vient d'arriver.

« Tiens Monique, s'il te plaît, paye pour tout le monde, tu me donneras la monnaie plus tard, chez ma mère. »

Je quitte la place en vitesse.

Marc Labrèche est en face de chez Guzzi. Il conduit un véhicule étrange sur lequel je grimpe avec ma mère.

Le véhicule rappelle vaguement la diligence du temps des cowboys.

Marc est derrière pour conduire.

Tout le long de la route menant chez nous, il y a des filets, des fils et des cordes à linge, à la transversale, à notre hauteur.

Le véhicule peut passer, mais les passagers sur le véhicule doivent être alertes. Maman et moi devons faire toutes sortes de manœuvres pour éviter d'être projetés en bas.

Marc nous voit faire les manœuvres d'évitement, il est impressionné et trouve ça très drôle.

Il nous envoie des *jokes* et joue au commentateur.

135. Syndicat et plafond

Tous les techniciens de TVA décident de sortir de la bâtisse. C'est la grève.

Je les croise à l'extérieur, mais je dois entrer pour parler à Janette Bertrand qui m'y attend.

Nous sommes dans une grande salle avec une centaine d'autres gens non syndiqués. La stratégie syndicale est bizarre et agressive.

Le syndicat baisse le plafond de la salle lentement, comme pour nous écraser sur le plancher.

Janette, avec moi, est très sage et n'a pas peur.

Heureusement, je suis près d'une porte et je peux me sauver à tout moment.

Le plafond baisse et baisse et baisse, nous sommes recroquevillés.

On sent la peur.

136. À la recherche de France

France et moi dans un centre commercial.

Nous faisons la file pour déjeuner, comme dans une cafétéria. Œufs, bacon, toasts, etc. Sans nous en rendre compte, nous partons dans deux directions opposées. J'ai mon déjeuner dans mon cabaret et je la cherche.

Je la cherche partout, je ne la vois pas. Je stresse.

Je rencontre François Parenteau, des Zapartistes, qui parraine un tournoi d'échecs dans le centre commercial. Il doit remettre une bourse au gagnant.

Il a un surplus d'argent et se demande quoi faire avec. Il veut savoir si ma station de radio peut faire quelque chose pour donner les sous à quelqu'un qui en a besoin.

Je suis trop pressé et trop préoccupé à chercher France.

Il pense que j'ai pris son déjeuner, mais je lui montre que mon nom est écrit dessus. Il s'excuse.

Je poursuis mes recherches.

J'arrive à une extrémité du centre. Il y a une entrée.

Quatre portes autour de moi. Au sud, au nord, à l'est et à l'ouest.

Il s'agit de quatre boutiques haut de gamme et les portes sont barrées. J'essaie d'entrer dans une boutique de linge très cher pour hommes.

J'entends une voix enregistrée.

« Nous voulons savoir si vous avez l'intention d'acheter avant de vous ouvrir la porte. »

Je ne suis pas là pour acheter mais pour trouver France.

Je suis outré de me faire poser cette question-là et je manifeste mon désaccord.

Une vieille dame anglophone sort de la boutique, m'engueule et me traite de révolutionnaire communiste.

Je n'ose pas lui dire ce que je pense d'elle. Je ne veux pas la bousculer, elle est trop vieille.

J'embarque dans un taxi avec d'autres personnes.

Devant, il y a la vieille anglophone à droite, moi au centre, et une autre dame aux cheveux courts et à lunettes est au volant du taxi.

Derrière, quatre jeunes femmes déguisées en Père Noël.

Je réalise que le taxi s'éloigne de l'endroit où je cherche France et demande à la madame chauffeur de me laisser sortir. Elle acquiesce et s'arrête.

Je passe par sa porte pour ne pas bousculer la vieille à droite. Je salue les filles en Père Noël.

Une fois dehors, je reviens en courant vers le centre commercial qui s'est transformé en Cégep Bois-de-Boulogne.

Je réalise que je recommence le cégep dans trois semaines.

La place est grouillante d'étudiants. Je cherche le bureau de direction car je sais que France a dû laisser un message au directeur. François Carignan et quelques autres personnes sont incapables de me dire qui est directeur et où est son bureau.

Le cégep est un vrai labyrinthe.

En cherchant dans les corridors, je me retrouve devant un cameraman qui tient son équipement à l'épaule. Ils sont en train de filmer un épisode de Watatatow. Je reconnais un personnage. Je vais figurer dans Watatatow. Ça m'indiffère complètement. Je vois un monsieur qui dit me reconnaître. On est allé au cégep en même temps dans les années 1950.

« Relaxe bonhomme. Tu es mélangé, j'étais là, mais en 1972. »

Je sors du cégep.

Carignan vient me trouver en courant. Il a le nom du directeur.

En même temps, de l'intérieur, Simon m'a vu. Il vient à ma rencontre.

Je lui demande.

« Mais où est maman?

— Elle est dans la cour arrière. »

Je m'y rends. Elle est assise sur le bord d'une fenêtre. En me voyant arriver, elle me dit que j'avais promis de maigrir. Elle me reproche de ne pas l'avoir fait.

Je suis pressé, je ne dois pas manquer mon éditorial dans *Les Grandes Gueules.* J'ai peur d'être retardé par la circulation. France passe par un casier où elle a laissé les choses qu'elle a achetées au centre commercial. Parmi ses achats, il y a un paquet de cigarettes. Il n'y a que trois petites cigarettes toutes maigres dans le paquet.

Sur le chemin du retour, Simon dit qu'il a mal à l'œil. Un cil qui pousse par en-dedans. Il se plaint.

« Je vais te donner un truc, Simon. Fais comme si tu ne réalises pas que tu as mal. Pense à autre chose.

— Je vais essayer. »

Il siffle une chanson.

NOUVEAUX PERSONNAGES

Yves Tremblay
Ancien relationniste des Canadiens, dans les années 1970.

Maurice Boyer
Célèbre quilleur québécois, années 1950 et 1960.

Famille Guzzi
Propriétaire d'un petit commerce dépanneur pendant mon enfance.

Carole Bigras
Amie d'enfance de France, qui est toujours dans le paysage. Mariée avec un de mes meilleurs amis, Crête.

Carole Amyot
Fille que j'ai connue à l'adolescence.

Monique Tétreault
Ma cousine, c'était ma voisine sur la terrasse Pilon, je l'aimais beaucoup.

François Parenteau
Membre du groupe humoristique les Zapartistes.

Trente-neuvième nuit

LUNDI 27 DÉCEMBRE 2004

137. Laflaque d'abord

Serge Chapleau et moi discutons de l'émission de Laflaque. « *Serge, penses-tu que c'est possible que, dans un sketch, Gérard n'ait pas la première réplique ?* »
Chapleau n'a pas répondu mais a fait une moue. Visiblement, il n'aime pas l'idée. Je poursuis.
« *Et si je te prouve que c'est bon ?*
— Si tu me prouves que c'est bon, pas de problème. Par contre, je vais changer d'idée le lendemain. Alors tu peux toujours me prouver ce que tu veux... »

138. Agence de violence Inc.

Je vois quatre hommes par la fenêtre d'un petit bureau d'affaires, juste à côté d'un salon de barbier. Quatre méchants taupins, dont deux sont des faces régulières du *Allo Police*.

Les quatre hommes ont un commerce de fiers-à-bras.

Ils cassent la gueule à des gens, violemment.

Un type est étendu sur le ventre, ils lui ouvrent la bouche de force.

Un des gars frappe dans la bouche à coups de masse.

Beaucoup de sang.

Un autre homme est étendu sur le dos, ils passent dessus avec un marteau-pilon en chantant *Sledgehammer* de Peter Gabriel.

Je me tourne et vois sur le trottoir un homme qui marche devant une caméra.

Je me rassure.

Je suis dans la série *Le Négociateur* à TVA.

Je suis à une table avec Claude Poirier et quelques autres. Fier comme un paon, il aimerait bien que je lui parle de sa série.

Mais non. On parle d'hypothèque.

139. Mensonge de nicotinomane

Nous sommes deux couples dans l'auto. Crête et Carole, France et moi.

C'est Crête qui conduit. Je lui demande de stopper l'auto. Je dis qu'il faut que je me rende à pieds à la station de radio. Mensonge.

Je veux juste fumer en cachette.

140. Attitude porte-bonheur

La scène se passe en hiver, au milieu d'un parc où il y a plusieurs patinoires extérieures. J'ai perdu mes clefs d'auto il y a 24 heures.

Je les retrouve soudainement sans les chercher.

De ce fait, je réalise un phénomène que je tente d'expliquer à André Ducharme.

« Quand j'ai perdu mes clefs, hier, j'ai paniqué. Comme j'avais des textes à écrire, j'ai oublié que j'avais perdu mes clefs. Je ne m'en rappelais qu'à toutes les deux ou trois heures. Je me suis fait du sang de cochon, mais d'une façon très sporadique. J'ai oublié de m'en faire et pour me récompenser de mon attitude positive, la vie a mis mes clefs sur mon chemin aujourd'hui. »

André me trouve chanceux.

141. Réal contient sa frustration

Dans une salle de cours, avec Réal Béland.

Il est dans le fond d'une classe à côté de moi et il a des mèches blondes dans les cheveux, mais seulement derrière la tête.

Il fait des blagues, mais on sent qu'il cache une frustration. Même s'il ne veut pas le montrer, il est frustré parce que Sophie est sortie avec un prêtre.

Normand Brathwaite est dans la classe.

142. Larmes de partisans

Il y a une réunion de journalistes qui discutent de la possibilité de faire une cérémonie pour souligner la mort des Expos.

Rodger Brulotte est assis à une table avec des Anglais. Un peu plus loin, un jeune journaliste anglophone maigrichon à moustache et à lunettes est assis et me parle.

« Qu'est-ce que ça te fait, la fin des Expos?

— Je ne suis pas capable d'y penser sans partir à pleurer.

— Ça me fait la même chose. »

On éclate tous les deux en sanglots.

143. Aider Turbide

Je suis assis à un visionnement.

Une émission réalisée et interprétée par Marc Labrèche. Marc est assis à un mètre du moniteur, dans une salle. Je suis assis derrière, tout juste à côté de Dominique Chaloult.

Elle me demande qui est mon meilleur ami, Alain Choquette (qu'on voit quitter le local) ou Alain Chicoine (qui s'apprête à s'asseoir devant, à droite).

« *Alain Chicoine.* »

J'ai un linge à vaisselle jaune sur la tête pour qu'Alain Choquette ne me reconnaisse pas.

Serge Turbide arrive au milieu du visionnement et me dit de le suivre.

Le producteur d'une émission lui a dit que son sketch était plate et me l'a envoyé pour corrections.

Il est fâché mais contient bien sa colère.

Il me force à le suivre dans une classe où il travaille seul à ses textes.

Dans son local, il y a plein de bouffe qui cuit partout. Dans des fours micro-ondes, des fours ordinaires, sur les plaques chauffantes.

Ça bout partout. Plein de bouffe et tout est pour lui.

« *J'ai faim.* »

144. Rien sous la serviette du bum

Très tôt le matin

Je descends un escalier en colimaçon.

Je croise un homme tout tatoué, avec boucles d'oreilles. Il a l'allure d'un bum sur le BS.

Il a une serviette autour de la taille et rien en dessous.

Il est avec ses deux enfants et vient d'aller se baigner dans un lac.

Sur le trottoir, deux autres personnes ont aussi vu qu'il n'avait rien sous sa serviette. Eux ricanent.

Je ne sais pas comment réagir.

145. Beau jeu, Pichette

Une partie de balle.

Je marche dans les spectateurs le long de la ligne du troisième but.

Sur le terrain, une chandelle est frappée derrière le joueur de premier but, le numéro 15, Simon Pichette.

Il réussit le catch, comme Willie Mays en 1954 : le dos au jeu.

L'instructeur au troisième but est un ancien arbitre.
Il est habillé en chemise et cravate et parle avec un de ses amis parmi les spectateurs : le boxeur Stéphane Ouellet.

NOUVEAUX PERSONNAGES

Serge Chapleau
Caricaturiste, père de Gérard D. Laflaque, éternel grand ado, bum et brillant.

Gérard D. Laflaque
Marionnette virtuelle réactionnaire, création de Serge Chapleau.

Peter Gabriel
Musicien britannique génial.

Claude Poirier
Journaliste aux faits divers, à dentier et cigarette.

André Crête
Un vieux chum rencontré en 1973. Il a marié la meilleure amie de France. Partenaire de golf et de vie.

André Ducharme
Humoriste, auteur, homme d'idées. J'ai travaillé avec lui à la radio. Créatif, bon papa.

Sophie Quirion
La femme de Réal Béland. Très jolie et gentille. Intelligente et débrouillarde.

Rodger Brulotte
Journaliste, grand expert en baseball.

Alain Choquette
Magicien avec qui j'ai travaillé quelques années.

Serge Turbide
Scripteur, ancien chanteur. Auteur des *Six bons moines...*

Simon Pichette
Entraîneur de Francis dans le Junior BB.

Willie Mays
Le joueur de balle de mon enfance.

Stéphane Ouellet
Boxeur tatoué.

Quarantième nuit
MARDI 28 DÉCEMBRE 2004

146. Le prêt de 5000 dollars
Pierre Spinelli est chez nous.
Il répond au téléphone et devient tout sourire.
« Christian, c'est pour toi. Je pense que je sais qui est la personne au bout du fil. Tu vas être content. »
Il me passe le téléphone et va à la table de billard avec Francis et Simon.
Les deux gars sont très intrigués et impressionnés que Pierre Spinelli ait attrapé et survécu à la bactérie mangeuse de chair.
Au téléphone, c'est un monsieur de la banque. Un Arabe.
« Monsieur Tétreault, nous acceptons de vous prêter l'argent pour acheter votre nouvelle voiture de Spinelli Lexus Toyota. J'ai un chèque de 5000 dollars ici. Il est prêt. Vous allez devoir préparer une photo d'ici trois jours.
— Une photo? Pourquoi une photo?
— Il faut que la photo soit prise dans les trois jours de l'emprunt. Un règlement. Question d'être certain que nous le remettons à la bonne personne.
— Et si la photo a été prise hier, est-ce que ça fait?
— Non monsieur. Hier, c'est quatre jours, j'ai dit trois jours. »
Je trouve ça trop compliqué et je pogne les nerfs.
« Ma face est connue. Mon nom aussi. Je suis recommandé par ton patron et tu me forces à prendre la câlice de photo pareil? Quelle sorte d'estie de fonctionnaire que t'es?! Tu sais quoi, mon Arabe? Le chèque, là, roule le bien serré et fourre-toi le dans le cul! »
Je raccroche.
Je retrouve Spinelli à la table de billard.

119

Je lui remets une lettre de remerciement et d'appréciation que je lui ai écrite plus tôt et je lui raconte que j'ai été bête avec le monsieur de la banque.

« Je lui ai dit de se fourrer le chèque dans le cul. »

Pierre est renversé. Étonné.

« Pourtant, je le connais le gars. Il est très compétent et très gentil. J'en reviens pas. »

Le téléphone sonne encore.

Je suis certain que c'est l'Arabe qui rappelle et qui a changé d'idée pour la photo obligatoire.

C'est une fille journaliste qui veut faire une entrevue avec moi.

147. Émission spéciale pour les 22 ans

RDS diffuse une émission spéciale sur nos 22 ans de mariage.

On la regarde en famille dans le salon.

Les gars trouvent ça très plate.

148. Ma sœur me rassure

Je suis avec un groupe de personnes et nous regardons une émission de télévision compliquée, avec des chiffres et des statistiques.

Une émission en apparence scientifique.

Soudain, je m'aperçois que cette émission est une comédie déguisée et je la trouve tellement drôle, j'en ai des crampes partout.

Je m'aperçois aussi que je suis le seul à la trouver drôle. Je ne comprends pas. Je visualise dans le salon de ma sœur Danielle et je la vois rire, elle aussi. Et Dieu sait qu'elle n'est pas la plus ricaneuse.

Elle est aussi crampée que moi.

Je suis rassuré.

Parce que c'est plate d'être seul à rire.

149. « Venus and Mars, the Sharecroppers »

Je suis avec Gregory.

On est debout sur le bord d'un champ de coton
probablement en Alabama.

Je vois un noir qui marche dans un sentier au milieu du
champ de coton. Il joue de la guitare et chante du blues.

Sa guitare est couleur standard et il joue droitier.

Puis, juste derrière, un autre avec une guitare. On ne le voit
pas tout de suite, caché par le premier.

Sa guitare est tricolore et il joue gaucher.

Ils s'appellent « Venus and Mars, the Sharecroppers ».

Quarante et unième nuit

MERCREDI 29 DÉCEMBRE 2004

150. Avant l'avion

NOTE *Il est arrivé à quelques reprises pendant le processus
d'écriture de ce livre, allez savoir pourquoi, que les détails
d'un rêve soient étonnamment nombreux.*
*La nuit du 29 décembre, mon anniversaire de mariage (!)
a été, à ce titre, la plus spectaculaire.*

Je suis étendu dans un grand lit de chambre d'hôtel, côté
droit.

Martine Doucet est au centre avec un gros livre que je viens
de lui donner et le vieux crooner franco-égyptien Georges
Guétary à gauche.

Martine cherche un moyen d'éteindre un peu Georges qui
est follement amoureux d'elle. Sachant que mes sentiments
ne sont qu'amicaux, elle se sert de moi.

De toute façon, elle me trouve plus intéressant que le vieux
Georges.

Lui est en furie contre moi.

Pour le rassurer, Martine lui montre un extrait du livre où
il est écrit que Martine et moi, on est des vieux amis.

« Lis Georges, lis, tu vas voir.

— *Je ne veux pas lire, je suis trop fâché.* »
Il se lève et se met à balayer frénétiquement le tapis mur à mur rouge de la chambre. Il y a plein de sable dans le tapis et il réussit à le nettoyer aussi bien que s'il avait utilisé un aspirateur.
Il est clair qu'il a déjà fait ça. Il est très efficace.
J'en déduis qu'il a probablement occupé ce genre d'emploi pendant les moments creux de sa carrière de chanteur.
Martine et Georges quittent.

Faut à mon tour que je me sauve pour prendre l'avion.
Je ne trouve plus mes jeans. Je ne trouve plus mes souliers.
Je suis pressé.
France m'attend dans un gros hôtel de Vegas, le Flamingo Hilton. Ça va mal.
Je finis par trouver mes jeans accrochés à une patère et des petits souliers italiens à semelles glissantes. Ce ne sont pas les miens, mais ils devraient faire la job.
J'ai soif. Je veux prendre une bière. Dans le frigo, il y a quelques bouteilles de bière pleines, mais elles ont toutes été ouvertes et n'ont plus de bulles. Je ne sais pas de quel pays viennent ces bières, mais les bouchons sont énormes, comme une petite conserve de thon. Les bouteilles sont toutes en couleurs.
Dans le lobby de l'hôtel en quittant, je croise Jacques Doucet qui feint d'être fâché contre moi parce que je ne l'ai pas appelé depuis trop longtemps.
Je n'ai pas le temps de lui parler, je dois courir au Flamingo.
Dehors, une longue limousine est stationnée à droite du lobby. Ce sont les deux couples avec qui nous sommes arrivés en vacances, la semaine dernière.
Une des femmes m'appelle :
« *Aye ! Regarde, on a une limousine avec de la place en masse. Venez, on va vous embarquer.*
— *Je peux pas. Faut que j'aille chercher France au Flamingo.*
— *Aaaaah. C'est plate.* »
Je les remercie pour l'offre.
J'ai le choix.

À droite, où le chemin est sûr ou à gauche où c'est plus court, mais plus dangereux et difficile.

Je n'ai plus de temps, je n'ai pas le choix, je prends la gauche.

Au départ, je dois monter une pente abrupte et glissante en ciment fin. Avec mes petits souliers italiens, je n'ai pas le choix, je dois contourner par un autre chemin où la circulation est plus dense. Comme un rond-point d'autoroutes.

En plus il y a une foule. Je cours.

Du monde, du monde, du monde.

Je croise des Québécois, mais je n'ai pas le temps de leur parler.

Tous ces gens qui attendent, massés le long des autoroutes et des boulevards. Ça ne peut pas être pour le Super Bowl. Il n'y a pas d'équipe à Vegas, et le match n'a pas eu lieu ici. On me dit que c'est une fête annuelle traditionnelle de la Ville du Péché.

Je vois le Flamingo Hilton.

J'arrive, j'arrive.

Le Flamingo est de l'autre côté de la rue, là où sont alignés tous les hôtels majeurs. Sur mon côté, en face, ce sont des petits hôtels plus rustiques. Ils ne sont pas au bon niveau de la rue. Trop haut.

Je dois absolument arriver vite, je sais que Félix, qui a deux ans et quelque, est seul dans une chambre. Je ne sais pas si France est arrivée de son côté.

Faut que j'arrive.

Dans la cour de ces petits hôtels, il y a des ascenseurs et des tables de jeu. De jeunes hôtesses en uniforme nous indiquent où sont les tables et les ascenseurs.

Je parle à une première. Chanceux: c'est une Québécoise. Plus chanceux encore, il y a un ascenseur juste là, à côté d'elle.

Moins chanceux, deux jeunes filles arrivent avant moi et embarquent dans l'ascenseur. C'est un tout petit ascenseur.

De la dimension d'une cabine de téléphone publique.
L'ascenseur n'a pas de toit et ne fait qu'un étage, jusqu'au niveau de la rue. Je suis si pressé que je saute dans le trou de l'ascenseur, sans aucune crainte. J'aboutis entre les deux filles.
Je suis content d'être rendu.
J'ai hâte de voir si mon Félix de deux ans et demi est correct.

151. Deux discussions profondes
Deux personnes veulent avoir une discussion en tête à tête avec moi.
Chacune a une situation émotive à corriger avec moi.
D'abord une femme.
Moitié Jeanne Moreau jeune, moitié Gloria (la maîtresse vendeuse de Mercedes de Tony Soprano, une Italienne de 40 ans, très jolie).
Elle veut que je cesse d'être amoureux d'elle. Que je me raisonne. Que j'oublie ça. Elle fait erreur.
Je ne suis pas du tout amoureux d'elle.
Je me souviens l'avoir vaguement été, il y a longtemps, mais ça n'existe plus. *Anyway,* je ne peux pas en parler, il y a un jeune curieux qui tend l'oreille juste à côté. Un petit gros rouquin.

Mon cousin Robert veut aussi une discussion en tête à tête.
Il veut me donner l'heure juste au sujet du malaise entre lui et moi.
Un malaise qui ne m'affecte pas vraiment.
Il se dit victime d'une grave erreur.
Je n'ai pas le temps d'en parler tout de suite.
Mais nous prenons l'avion ensemble, on aura le temps, là, d'en discuter.

152. Piscines et déchets
Francis et moi dans le garage.
On monte le tour d'une piscine creusée. Le moule.
Quelqu'un vient porter des déchets toxiques dans la poubelle.

On se regarde.

« Qu'est-ce qu'y fait là, lui ? »

153. Une petite *ride* dans les rapides de San Francisco

Je suis avec ma sœur Sylvie et j'appelle un taxi sur le bord
d'un boulevard aux États-Unis.

Il s'arrête mais tout ce qu'il peut m'offrir, c'est une grosse
charrette qu'il tire derrière son auto. On embarque, mais je
sens qu'il y a quelque chose de louche. Une arnaque ?

Le taxi se transforme en petit Cessna, et la charrette, en
canot pneumatique. Nous sommes quatre dans le canot
avec nos ceintures flottantes et nos casques. Sylvie et moi.
Et un autre couple, des amis de Carole Bigras.

C'est une nouvelle attraction touristique dans la région de
San Francisco. L'avion nous fera remonter des rapides, pires
que la rivière Rouge.

Le canot remonte le courant tiré par l'avion à quelque
15 mètres d'altitude.

J'ai peur de m'écraser et de mourir.

Les rapides ont été construits par des hommes.

Comme dans un Disney extrême. C'est amusant pour les
trois autres, paniquant pour moi.

154. Martine ?

Je revois Martine et son père Jacques.

Je remarque que Jacques s'est fait planter des cheveux.

Martine explique à France qu'elle s'est enfin débarrassée de
son conjoint. Un aveugle extrêmement méchant et violent.

NOUVEAUX PERSONNAGES

Georges Guétary
Chanteur de charme. Deux coches sous Luis Mariano.
1915-1997.

Martine Doucet
Ancienne compagne de travail. Fille de Jacques. 37 ans.

Jacques Doucet
Descripteur des Expos pendant 35 ans, ami.

Jeanne Moreau
Actrice française des années 1950 et 1960.

Gloria
Personnage des *Sopranos,* troisième saison.

Quarante-deuxième nuit
JEUDI 30 DÉCEMBRE 2004

155. Greg se trompe
Gregory est entre deux séries de spectacles à Chicoutimi.
Il en revient et y retourne.
Nous sommes dans de grandes balançoires et animons un show de radio.
Dans l'intervention précédente, il a mentionné les lettres d'appel CKLM.
« *Tu as dit que nous étions à CKLM.*
— *Ben non. Impossible.*
— *Juré.* »
On a réécouté la bande et j'avais raison, il a dit CKLM.
On a parlé du talent fou de Guy Saint-Onge.

156. Pont et bateau
France et moi sommes avec un vieil intellectuel grand et mince.
Nous devons traverser un pont pas très solide. L'intellectuel est le guide.
Le pont est fait de vieilles lattes de bois usé.
La seule façon de le traverser, c'est de marcher sur des bandes de grosse toile de coton, soutenues par des cordes sur le flanc du pont.
On doit s'aider des cordes pour avancer. On peut aussi ramper sur la structure du pont, mais prudemment.
France tombe à l'eau, elle a quatre ou cinq pieds d'eau au-dessus de la tête.
Le guide me rassure, elle revient à la surface.

Le pont n'est plus un pont, mais un bateau. Le vieil intellectuel va chercher un livre pour France. Titre du livre : *Loco Locass : principes de base pour la construction de bateaux.*

Je croise des gens de la radio de Québec que je ne connais pas. Je leur parle.
« *Est-ce qu'on travaille pour le même réseau ?*
— *Malheureusement non.*
— *Ça veut dire qu'on est des ennemis jurés ?*
— *En principe, oui.* »
Un d'eux me demande si je vais regarder le hockey ce soir.
« *Sûrement, d'autant plus qu'il n'y en a pas eu beaucoup cette année.* »
Rire général.

157. Flamenco
Une photo.
Une danseuse de flamenco de profil.
Elle a une robe avec une crinoline. La robe devient très large dans le bas. Rouge et noire.
En examinant la photo de près, on voit que la robe n'en est pas une.
C'est une corde de bois montée en pyramide, composée de bûches bien rondes et toutes de la même grosseur.
L'illusion est parfaite.

158. Des cadeaux dans la rue-corridor
J'habite au bout d'un long corridor qui est en même temps une rue.
Je dois me rendre chez moi.
J'ai de la difficulté à passer dans le corridor parce que tout le long, à gauche et à droite, il y a des cadeaux, emballés ou déballés. Il y a à peine un petit espace pour se faufiler entre les montagnes de cadeaux.
Je dois même enjamber un lit d'enfant.
Placé de travers dans la rue-corridor.
Mon appartement est au bout à gauche.

NOUVEAU PERSONNAGE
Guy Saint-Onge
Génie de la musique, le blanc dans Gregory Charles. Faiseur de montres et d'horloges. Captivant.

Quarante-troisième nuit
VENDREDI 31 DÉCEMBRE 2004

159. Sauvetage radiophonique d'Éric Gagné

Il est 7 h du matin, j'anime *Les Grandes Gueules* de chez moi. Éric Gagné arrive sans prévenir. Il est habillé en joueur de baseball, mais pas aux couleurs des Dodgers.

Je suis surpris et heureux de le voir.

« Éric ? Qu'est-ce que tu fais là ? Je pensais que tu étais déjà en Arizona.

— Non, non, j'attends des nouvelles des Dodgers. Je m'en vais m'entraîner. »

Je remarque qu'il a son gant.

« Est-ce que tu es seul ?

— Oui.

— Depuis le temps que je rêve de me lancer avec toi, est-ce que je peux ?

— Pas de problème. »

Il y a une émission de radio à terminer.

C'est un sketch de Mario Tessier, avec Ti-Rouge, mais Ti-Rouge ne veut pas parler. Je ne sais pas ce qui se passe, je lui tends des perches, et il reste muet. Même Éric tente de le faire réagir. Peine perdue. Je flushe le sketch vite, et on met de la musique.

Il approche 8 h et je réalise que je n'ai pas de commentaire de prêt.

Je cherche frénétiquement dans mon téléphone, devenu mon ordinateur.

Je sais que je n'aurai pas le temps de trouver.

Je suis paniqué.

Puis j'y pense : je ferai une entrevue avec Éric à la place du commentaire. Je vais dehors lui demander.

Il accepte. Il revient dans le studio avec un café pour lui et un pour moi.

Je me demande si Mario Tessier est encore boudeur.

José Gaudet, qui est rendu chez moi, me dit de ne pas m'en faire avec Mario, qu'il est en plastique aujourd'hui.

« *Inquiète-toi pas pour l'entrevue avec Éric, je vais être là pour t'aider.* »

José est sérieux.

160. Le gros chat d'Éric Gagné

Je suis dans une pergola avec Éric et Valérie à leur maison en Arizona.

Ils sont avec leur chat. Un énorme chat. Éric me dit qu'il aime bien élever les chats et qu'il les élève à la dure.

Au début le gros chat est doux, mais Éric le fait fâcher.

Il tente de discipliner le chat qui s'excite. Le chat s'enrage et devient violent, mais Éric n'a pas peur du tout et domine toujours le chat.

Puis il le laisse aller.

J'ai peur du chat. Je l'ai vu réagir avec Éric tantôt et ça m'inquiète.

Le chat sent que j'ai peur et me tourne autour, je me lève et fais tout pour l'éviter. Je sens que je suis devenu sa proie.

Il veut se battre avec moi.

Le chat m'a repoussé dans un coin de la cour et s'approche de moi.

Il se transforme en Éric Lapointe.

Il me dit qu'il m'a entendu à la radio, dernièrement, et qu'il a trouvé ça bon.

NOTE *L'éditrice du présent livre considérait le rêve précédent, « Le gros chat d'Éric Gagné », inintéressant. Elle avait peut-être raison et je m'excuse auprès de tous ceux et toutes celles qui se sont emmerdés à sa lecture. Mais l'image croisée d'un gros chat de ruelle et d'Éric Gagné était pour moi irrésistible.*

161. La maladie de Doris

Doris Synnett est recherchiste à une émission pour laquelle je travaille.

Elle parle à une autre fille, de bureau à bureau. Elle a les cheveux noir ébène. Comme avant.

Je réalise qu'il y a trop longtemps que nous nous sommes vus pour le lunch.

Je vais vers elle, je lui fais la bise tendre.

« Doris, faut aller luncher. »

France, qui travaille avec nous, lui demande des nouvelles de son cancer. Doris lui fait signe de ne pas en parler, l'autre fille n'est pas au courant et elle ne veut pas le lui dire.

162. Arrosage entre copains

Je suis dans un groupe de gens qui travaillons ensemble. Des gars, des filles. Nous nous agaçons beaucoup entre nous et il se trouve que je suis souvent celui qu'on agace. En m'arrosant, entre autres.

Or, voici, que pendant une autre scène d'arrosage, une fille, jolie et secrètement amoureuse de moi, m'arrose. Je la prends d'un bras autour de sa taille et lui en fais le reproche.

« Encore moi ?! On m'a arrosé hier et le jour d'avant ! Ça suffit, non ? Je te le jure, toi : je ne t'oublie pas, surveille-toi, un jour, je vais prendre ma revanche. »

La fille ne m'a rien dit, mais dans ses yeux, je sens qu'elle ne demande pas mieux.

Elle ressemble à Anne-Marie Losique.

NOUVEAUX PERSONNAGES

Valérie Hervieux-Gagné
La femme d'Éric Gagné, gentille et généreuse.

Éric Lapointe
Chanteur qui ressemblait au jeune Dylan.

Doris Synnett
Recherchiste, amie, atteinte du cancer.

Anne-Marie Losique
Animatrice agace.

Quarante-quatrième nuit
SAMEDI 1er JANVIER 2005

163. Tout un combat
Doux soir d'été.
En campagne, je suis sur la galerie arrière d'un chalet.
Je jase avec un couple d'amis.
Chico arrive. Je suis content, je ne m'y attendais pas. Il se moque de moi.
« Tout un combat! Tu l'avais dit, hein, l'expert? T'avais vu juste. J'ai rien manqué, quel boxeur. »
C'est que, hier à la télévision, il y avait présentation d'un combat de boxe, à l'occasion des Jeux. Ça faisait plusieurs jours que je disais à Chico de ne pas oublier de regarder le combat.
« Ça va être un combat mémorable. Ce gars-là est le prochain grand champion du monde. »
Le combat a eu lieu hier et a duré 45 secondes, mon boxeur s'est fait planter.
Chico se moque de moi. Il a le droit.
Lui me parle de la décision des juges au tremplin quand ils ont puni le jeune Américain pour avoir bougé l'épaule un peu avant de plonger.
Le gars a fait un nombre record de sauts périlleux arrière, il a tourné six fois sur lui-même. Quand il est revenu sur le bord de la piscine, il est revenu par les pieds, s'est assis sur le bord de la piscine et ses notes sont arrivées. Pourries.
Il ne savait pas quoi penser.
Chico dit qu'il s'est fait fourrer. Moi aussi.

164. Rien à dire
J'anime une émission de radio. Il est 8 h 25 et je n'ai plus rien à dire.

Alors, c'est ce que je dis :

« Mesdames et messieurs, je n'ai plus rien à dire, alors je vais arrêter de parler. Merci. »

André Furlatte, le réalisateur, ne met rien d'autre en ondes. Pas de commercial, ni de musique. Il attend que je parle. Il me regarde. Je lui fais signe. J'ai rien à dire. Je dirai rien.

Le directeur des programmes m'appelle en ondes. Il me demande ce que je fais.

Je lui réponds sur les ondes.

« J'ai rien à dire, boss. Rien. Je suis incapable de parler quand j'ai rien à dire. »

Il trouve ça excellent et me félicite.

165. Tiger, les deux dollars et moi

C'est le party annuel d'Énergie.

Il y a plein de grandes tables rondes. D'autres tables sont carrées, plus petites, dans une section séparée. Un invité d'honneur accueille tous les employés en leur serrant la main.

C'est Tiger Woods.

Lorsque j'arrive, Jacques Parisien fait un signe à Tiger.

« That's him. »

Tiger me serre la main, me souhaite la bienvenue et me lance un défi. Il veut jouer au « 30 sous sur le bord du mur » devant tout le monde. On jouera avec des pièces de deux dollars.

Nous sommes derrière une baie vitrée d'un côté de la salle et on doit lancer la pièce par-dessus la vitre. Elle doit aboutir le plus près possible du mur, de l'autre côté.

Le mur est une corde de bois.

Tiger rate complètement ses deux premiers lancers.

Je l'invite à recommencer.

Au troisième lancer, sa pièce tient en équilibre sur un petit copeau de bois, derrière la corde. Impossible à battre.

La foule est contente, Tiger a gagné.

Je lui demande si on pourra aller jouer au golf après le repas. Puis, je réalise que c'est le soir. On ne joue pas au golf le soir, innocent.

Je vais dehors et je vois des ouvriers couper le gazon sur une pente abrupte.

Ils utilisent des longues lattes de bois. Des lattes télécommandées. Les lattes mesurent une douzaine de pieds. Elles montent et redescendent en rasant la pelouse avec précision.

La technologie n'a pas de limites.

NOUVEAU PERSONNAGE
Tiger Woods
Meilleur golfeur au monde.

Quarante-cinquième nuit

DIMANCHE 2 JANVIER 2005

166. Je vais m'arranger pour manger

Il y a un gros déjeuner de famille. Une quarantaine d'invités. C'est mon père qui fait le déjeuner pour tout le monde. Des œufs, du bacon, des tomates.

Ma mère est bien heureuse parce que tante Yolande a apporté des œufs de caille. Mes trois sœurs, Sylvie en particulier, adorent les œufs de caille sur le plat. C'est comme des petits œufs de poupée.

Je demande à papa de me faire un club-sandwich, il accepte. Mais il y a un problème de logistique. Trop de commandes. Il ne tient plus le compte et il manque de bouffe. Après avoir attendu un bon bout de temps, je constate que je n'aurai pas de club-sandwich.

Je suis frustré.

Je quitte à pieds pour aller chercher quelque chose chez McDonald's.

C'est le soir.

À ma droite, un chat et un chien s'amusent et s'aiment.

Un grand danois et un matou aux petites oreilles.

Le matou fait beaucoup plus peur que le chien.

Je connais les grands danois, j'en ai déjà eu un. Mais le matou. S'il décide de m'attaquer, je suis fait.

Rien ne se passe.

Le matou me regarde, menaçant, mais ne bouge pas.

À ma gauche, un autre chien, plus inquiétant.

Un schnauzer géant noir.

Inquiétant parce que derrière la clôture, il y a trois gamins qui crient au chien de m'attaquer.

J'entre dans l'édifice très pauvre où habitent les trois gamins.

Ça ressemble à des hangars de tôle. Je suis vite perdu et je veux foutre le camp de là. Je leur promets chacun deux dollars s'ils me montrent la sortie.

Je sais où est la sortie, mais je veux créer une diversion pour qu'ils cessent d'exciter le chien. Ils veulent les deux dollars tout de suite.

Heureusement dans mes poches, j'ai trois billets de deux dollars et trois billets de cinq (beaucoup plus que je pensais).

Je leur donne chacun leurs deux dollars, ils sont contents et je suis tout de suite rendu dehors.

Je vois une auto-patrouille qui tourne un coin. Je suis sauvé.

Rendu à la maison, je dois aller conduire Félix à son appartement.

Félix remarque que, sur le cadran électronique de notre chambre, il est indiqué qu'il fait −42 degrés.

NOUVEAU PERSONNAGE

Tante Yolande Tétreault

La sœur aînée de mon père. La Reine de la famille Tétreault. Elle a eu neuf frères, tous plus jeunes. Sa mère est morte à 50 ans.

Quarante-sixième nuit

167. Drapeaux

Je marche sur René Lévesque dans l'est.

Je passe *dans* les logements et pas sur le trottoir.

Carole Bigras habite là et ses frères viennent passer quelques jours avec leurs blondes, question de relaxer. Je trouve ça bizarre : venir relaxer en pleine semaine, en plein centre-ville, dans le quartier rose de Montréal.

Arrive un long camion convoyeur qui tire une très longue plate-forme. Sur la plate-forme, couchée, une très longue pole avec un immense drapeau américain. Il y a bris d'équipement et la pole et le drapeau se mettent à tournoyer, mettant en danger les passants, les édifices et les voitures.

Un soldat mandaté pour surveiller le drapeau fait des grands signes au conducteur du camion.

En même temps, un autre véhicule transportait tous les autres drapeaux de tous les pays et les a échappés.

Tous les drapeaux sont devant moi, dans le stationnement de Radio-Canada,

Je sais que Félix aime les drapeaux, je veux lui en voler un. Ce sont tous de beaux grands drapeaux.

Je prends le drapeau de la République centrafricaine.

Michel M'pambara est là, juste à côté de moi ; il a des cheveux.

Je lui demande si sa voiture est loin, je veux y cacher le drapeau que je viens de voler. Je n'ai pas ma voiture et mes patins sont en réparation à Sainte-Thérèse.

Michel me répond.

« Laisse le drapeau là, ces gens-là en ont besoin pour s'abrier. »

Un vieux soldat arrive.

Je suis certain qu'il m'a vu voler le drapeau.

Il est vêtu comme un soldat de la Première Guerre mondiale. Il a un cartable avec lui.

Il me demande d'écrire la déclaration officielle sur son cartable. Comme si la tradition voulait qu'une personne choisie au hasard écrive une formule de cérémonie de drapeaux.

J'accepte. Il me prête une plume-fontaine.

La déclaration n'a ni queue ni tête. Une formule qui fait référence aux assurances. Quelque chose comme :

« *Si vous êtes bien assurés, il n'y a pas de danger.* »

Comme je commence à l'écrire, la plume se met à couler. Ce n'est pas de l'encre qui coule mais un genre d'huile. C'est impossible d'écrire.

Le soldat pense que j'ai fait exprès.

168. Veronica Lake

Après avoir patiné comme un champion sur les trottoirs, dans les ruelles, les stationnements, les côtes et tout, je suis allé porter mes patins à roulettes en réparation dans le petit centre-ville de Sainte-Thérèse.

J'attends, assis sur un long banc dans un jardin intérieur, à la porte du bureau de Michael Moore. Une jeune blonde qui travaille à la programmation d'Énergie attend avec moi.

Je ne sais pas ce que j'attends.

Je vois sur écran géant un clip de Michael Moore quand il chantait dans un groupe, plus jeune. Dans le clip, on a aménagé une scène dans une cafétéria.

Le document date de plusieurs années, alors j'ai de la difficulté à reconnaître Moore. Je me demande si c'est le chanteur ou le guitariste.

Les seuls spectateurs qui assistent à la prestation sont des employés de la cafétéria. Ils sont tous handicapés mentaux. Le groupe de Moore chante en français québécois la chanson thème d'un film hybride entre *Les Boys* et *Elvis Gratton*.

Je suis impressionné par l'humilité de Moore... quand je vois sur le mur de la cafétéria un énorme poster de lui et de son groupe, accompagnés d'une énorme chorale. Les membres de la chorale portent des chandails en couleurs distinctes et forment le nom « Michael Moore » dans l'estrade.

Pour l'humilité, on repassera, me dis-je.

Je rêve que j'ai mon dictaphone. Je décris l'action que je suis en train de vivre. Je commence par décrire les lieux où je suis.

Je ne me souviens plus du nom de la jeune fille qui m'accompagne.

Je ne sais pas comment lui dire. J'ai peur qu'elle soit insultée.

Je lui dis.

Elle est vexée.

« Je m'excuse. Je suis mal à l'aise, mais je ne me souviens plus de ton nom...

— Quoi ? On travaille ensemble. Je t'aime et tu ne te souviens même pas de mon nom ?

— C'est que, tu vois, je ne suis pas souvent à la station et je... Et je, je ne sais pas, je ne sais pas quoi te dire. Je suis juste con. Excuse-moi. Je suis con. »

Je suis incapable de trouver une bonne raison.

Elle se lève et quitte.

Quatre vieillards accompagnés d'une dame aux cheveux courts noirs viennent au banc. Ils ne s'assoient pas, ils s'agenouillent devant.

La dame a une cravache. On dirait un trip de sado-maso. Et pourtant elle n'a pas l'air sadique et les vieillards sont ici pour rencontrer un médecin. Elle me fait un sourire.

Je ne sais pas.

Ma sœur Jocelyne, qui travaille aussi à Énergie, arrive.

Elle me demande où est partie Vero.

C'est là que je me souviens du nom de la jeune fille : Veronica Lake, l'actrice.

Elle est revenue dans le temps pour travailler avec moi.

NOUVEAUX PERSONNAGES

Michel M'pambara
Humoriste avec qui j'ai beaucoup échangé.

Michael Moore
Réalisateur américain. *Roger and Me. Bowling for Columbine. Fahrenheit 911.*

Veronica Lake
Actrice américaine, 1922-1973, morte d'une hépatite.
À l'adolescence, Veronica Lake était d'une grande beauté mais très troublée. On l'a diagnostiquée schizophrène et sa mère voyait sa carrière d'actrice comme une thérapie.

Quarante-septième nuit
MERCREDI 5 JANVIER 2005

169. Pérusse et Furlatte
Deux hommes qui s'estiment beaucoup dans un studio.
François Pérusse prépare une autre de ses chansons, en s'inspirant de *Hello Goodbye* des Beatles.
André Furlatte aime son métier.
Quand il n'est pas sur ses heures de travail, il passe son temps à la station pour regarder travailler un autre André Furlatte et apprendre.
Deux Furlattes.

170. Hymnes nationaux
C'est la répétition d'une cérémonie à laquelle plusieurs pays sont conviés.
J'en suis le responsable.
Je suis assis, seul, dans une petite cabine à ciel ouvert où il y a quatre places.
J'appuie sur un bouton qui actionne un système de poulies et les drapeaux des différents pays flottent chacun leur tour, sous la musique de leur hymne national. À chaque fois

qu'un nouveau drapeau apparaît, un représentant du pays s'assoit dans la cabine avec moi et prend la parole.

171. Sur Sainte-Catherine

Je marche sur la rue Sainte-Catherine, j'ai mon téléphone portable et je prends mes messages.

Quelqu'un me tape sur l'épaule.

En me retournant, je vois qu'ils sont trois hommes d'affaires, grands et bien habillés. Ils m'ont reconnu.

« Vous travaillez à Énergie, non?

— Oui, je peux vous aider? »

Ils se présentent.

Ils travaillent dans le centre-ville pour la compagnie Microtel.

Je flaire le contrat lucratif.

Ce sont des spécialistes de la communication par cellulaire.

Un des hommes me donne un magnifique téléphone long et mince et me dit que c'est le haut de gamme du haut de gamme. Un mètre de long, cinq centimètres de large, comme un long bâton.

Il me le donne.

Rien à payer, ni l'appareil, ni les appels.

Pour me montrer qu'il fonctionne bien, il me demande de rester là et d'attendre. Il va m'appeler.

Il entre dans une station de radio de jazz et veut m'appeler, mais l'animateur refuse, il n'a pas le temps.

J'entends sa tentative au téléphone et je constate que la réception est excellente.

J'entre dans un restaurant pour appeler Patricia à la CBC, afin de travailler sur l'émission de CBC World News, avec Mitsou.

Elle n'est pas là. Je lui laisse un long message, moitié anglais, moitié français. J'ai de la misère à parler anglais.

En sortant, tout près du bar, le maître d'hôtel discute avec trois filles et cache derrière son dos un poster roulé dans un étui de cuir.

Les filles se demandent ce qu'il cache.

Il ouvre l'étui et déroule le poster.
C'est une affiche qui annonce le bal des policiers.
« Je dois l'installer aujourd'hui, le policier des relations publiques va passer pour voir s'il est bien à la vue de tous. »

172. La mort de Joséphine
Joséphine (mon Labrador) a de la mousse blanche, comme de la mousse de savon à vaisselle, qui lui sort par les oreilles.
Ça m'inquiète.
Quelques heures plus tard, Joséphine a complètement fondu, il ne reste qu'un petit morceau dans le fond d'une cage.
J'appréhende la réaction de France et des enfants.
Je marche dans un sentier, au milieu d'un champ vert pâle avec deux autres personnes et je suis préoccupé par la mort de Jos.
Nous voyons un petit chat qui court dans le champ juste à côté de nous.
Je vois que ce n'est pas un chat mais un bébé lynx.
Sa mère arrive et nous suit. Je stresse. Un faux pas, un geste brusque et elle attaque.
J'espère que je rêve.

173. Claque
À un souper, je suis avec Lili, ma filleule.
Elle me donne une violente tape au visage.
Je n'ose pas la réprimander.
Je le dis à Carole, qui ne sait pas comment réagir.

NOUVEAUX PERSONNAGES
Patricia Pleshinska
Productrice à la CBC. Je ne la connais pas.

Lili Tétreault-Marcoux
Ma petite filleule, la fille de Carole et mon frère, adoptée de Chine. Née en 2000. Magnifique.

Carole Marcoux
Ma belle-sœur. Généreuse, altruiste, inquiète.

Quarante-huitième nuit

NOTE *Hier soir, j'étais au cinéma avec France et Simon.*
Nous sommes allés voir Ray, *la biographie de Ray Charles.*
La nuit d'hier a été spéciale. Les rêves étaient confus.
À chaque fois que je me suis réveillé, j'avais en tête la musique
de Ray Charles.
I got a woman. Hit the road Jack. Unchain my heart.
What I'd say. Georgia on my mind.
Le visage de Gregory aussi apparaissait.
Chaque fois.

174. Tsunami
Une phrase : la merde unit le monde.

175. Épicerie
Un livreur d'épicerie avec sa boîte se présente chez nous.
Il entre sans frapper, sans sonner.
Il paye de sa poche sa livraison et retourne au travail.

176. Beau-père en santé
Mon beau-père Jean-Marie est bien fier de m'appeler pour
me dire que, dorénavant, il ne boit que du lait.

Quarante-neuvième nuit

177. Lemire à la Caisse pop
J'entre dans une Caisse populaire à Montréal.
Au même moment, Daniel Lemire en sort.
Il semble s'impatienter avec un de ses enfants qui marche
devant lui ; sa femme, qui porte des lunettes, le suit de près.
Je lui parle.
« Daniel, tu te rends compte ? Tu restes sur la Rive-Sud, et moi
loin sur la Rive-Nord, et notre Caisse pop est à Montréal. »

Il n'a pas répliqué.

Visiblement, il n'est pas intéressé à me parler. Je le vois dans sa face.

Mais, encore là, que pouvait-il rajouter?

C'est peut-être moi qui ne sais pas comment entreprendre une conversation.

178. Claude aime décaper

Claude Legault est d'excellente humeur.

Il me montre sa nouvelle acquisition : un minuscule appareil à décaper les toutes petites choses. Il s'agit d'un tout petit boyau à très forte pression.

Il me fait une démonstration en décapant les trous rouillés d'une salière.

Et ça marche.

Je sais que Claude est très content de posséder son bidule, parce qu'il adore décaper. C'est sa passion.

179. Trois gars blancs

Jerry Seinfeld, George Costanza et moi sommes dans une salle de maquillage. On se peinture tout en blanc directement sur la peau.

George est incapable et salit tout son linge.

180. Danse

Une fille est couchée sur un personnage mafieux.

Je sais que cette fille-là est une excellente danseuse.

Le vieux se lève et quitte. Je le remplace, la fille s'étend sur moi.

« Non, non, tu ne comprends pas, je ne veux pas que tu te couches sur moi, je veux juste danser. Je sais que tu danses bien. Tout le monde le sait. »

Elle se lève et, en se levant, elle devient Gregory.

Il danse avec moi tellement vite, surtout avec ses pieds, je tente de le suivre, mais j'en suis incapable.

Je suis essoufflé et tout mélangé dans mes pas.

Il quitte.

181. Pérusse est malade

François Pérusse est très discret et ne parle pas de ses problèmes physiques.

Il est chez moi et semble triste, je ne sais pas trop pourquoi.

Puis, je m'approche de lui et je vois qu'il a une petite aiguille au bout blanc, plantée dans la tête.

Puis une autre, et une autre.

Puis une espèce de petit arbre avec le même matériau.

Comme des aiguilles d'acupuncture.

« *Qu'est ce que c'est toutes ces petites aiguilles, François ?*

— C'est une expérience médicale qu'on fait sur moi. J'ai attrapé un virus lors de mon séjour à Ouagadougou et personne ne sait trop comment le traiter.

— Qu'est-ce qui s'est passé à Ouagadougou ?

— C'est long à expliquer.

— Regarde François : commence à m'expliquer et quand j'arrêterai de comprendre, tu arrêteras de parler, ok ? »

NOUVEAUX PERSONNAGES

Daniel Lemire
Humoriste sérieux.

George Costanza
Loser. Meilleur ami de Jerry dans *Seinfeld*.

Cinquantième nuit
SAMEDI 8 JANVIER 2005

NOTE *Depuis quatre jours, je regarde la série* Jazz *de Ken Burns.*

Je passe la nuit avec le jazz en tête.

À chaque réveil, la bande sonore a le dessus sur l'image.

Fats Waller. Fletcher Henderson. Art Tatum. Count Basie. Benny Goodman. Artie Shaw. Billie Holiday. Duke Ellington. Louis Armstrong.

Ça m'use. Je suis tanné.

Arrêtez de jouer que je me repose.

182. Idée

Une table ronde de création.

Brainstorm, avec Stéphane Laporte.

Stéphane est gêné et ne s'implique pas beaucoup. On doit trouver une pièce de musique sous le thème de la grossesse.

Pour Julie Snyder, Véronique Cloutier et Mitsou.

Les trois sont enceintes.

Une pièce qui doit sonner jazz.

Je suggère la chanson des *Triplettes de Belleville* et je suis convaincu que c'est rien de moins que génial.

En pleine nuit, je transporte ma fierté dans un taxi qui coupe à travers les pentes gazonnées du centre-ville.

Dans la voiture, la radio est à CKAC et c'est le bon vieux Jacques Fabi qui anime. Fabi parle de son technicien, un Chicoine.

Je sais qu'il parle de Marco, le frère de Chico. Il dit :
« Et bien, juste avant de quitter, n'oubliez pas qu'il y a ça, aussi... »

Il enchaîne un commercial qui répète continuellement le mot « aussi ».

183. Les verres de Simon

J'ai retrouvé les verres fumés de Simon dans le fond de la piscine.

Je regardais la piscine remplie d'eau brune et fétide du printemps.

Dès que j'y plonge, elle devient limpide et claire, avec les reflets du soleil dans le mouvement de son eau.

Elles étaient là.

Des belles lunettes à monture noire.

NOUVEAUX PERSONNAGES

Stéphane Laporte
Il écrit.

Julie Snyder
Animatrice, productrice, carriériste.

Jacques Fabi
Animateur de nuit à CKAC. Un vétéran.

Marco (Marc-André Chicoine)
Réalisateur, le frère de Chico.

Cinquante et unième nuit
DIMANCHE 9 JANVIER 2005

184. La recrue de 40 ans

Je joue ce soir pour les Canadiens de Montréal.
Je suis très fier d'être la première recrue de l'histoire à percer l'alignement à 40 ans. Je suis assis dans mon coin du vestiaire et j'attache un patin.
C'est un patin de fille, parce que j'ai perdu mon patin droit.
Saku Koivu me parle en français.
Il me dit que mon patin droit est juste là sous le banc, appuyé sur le mur.
« *Merci, Saku.* »
J'ai hâte de voir ce que Bob Gainey va faire de moi.
Comment il va m'utiliser.
Je m'imagine sur la glace avec mes jeunes coéquipiers.
J'imagine la foule qui m'applaudit.
Je sais qu'elle a hâte de me voir jouer.
Tout le monde en ville parle de la recrue de 40 ans. C'est moi.
Mon lacet a cassé et un préposé est allé en chercher des neufs.
Je lui ai aussi demandé de m'apporter un casque.
Dans mon temps, on jouait sans casque. Je n'en ai pas. J'en veux un blanc.
Stéphane Quintal est gentil, il me donne mon autre patin.
Il me dit qu'il est marié avec une Tétreault, sans lien de parenté avec moi.

Les gars m'ont fait un coup.
Juste comme je prends mon patin gauche, une énorme quantité de confettis sont propulsés hors de mon patin, il y en a partout.

Ce ne sont pas des confettis ordinaires, ils sont en gros carton brun.

Tout le monde rit et un préposé s'affaire à nettoyer la place. Qui aime bien châtie bien.

185. Questions plates

Depuis deux jours, je suis dans un endroit hybride entre une maison privée et un restaurant.

Sur la devanture, des immenses fenêtres. Les cadres des fenêtres sont bruns et il y a des moustiquaires, c'est l'été. Je suis à l'intérieur et France est à l'extérieur.

À la seule table, il y a Éric qui parle avec son beau-père Ludger. Il y a aussi Valérie qui joue au jeu du dictionnaire avec Solange, sa maman. Les deux enfants ne sont pas là. Ludger et Éric se parlent à voix très basse. Ils discutent de contrat, c'est sûr.

Je me sens importun.

Éric est impatient. Je lui demande des nouvelles de ses négociations et il dit qu'il est écœuré.

« Ça t'embête que je te pose des questions ?

— Non, non ça va...

— Si quelqu'un veut que tu annonces des brosses à dents, est-ce qu'il te le demande à toi ou il passe par ton agent ? »

Estie que j'ai des questions plates.

NOUVEAUX PERSONNAGES

Saku Koivu
Finlandais capitaine des Canadiens.

Bob Gainey
Directeur gérant des Canadiens

Stéphane Quintal
Ex-défenseur des Canadiens.

Solange Hervieux
La belle-mère d'Éric Gagné, mère de Valérie. Quarantaine, cheveux roux, gentille.

Ludger Hervieux
Le beau-père d'Éric Gagné. Toujours souriant. 50 ans.
Top shape.

Cinquante-deuxième nuit
LUNDI 10 JANVIER 2005

186. Martin Roy (*bis*)
Je suis dans un sous-sol de Radio-Canada, avec Martin Roy.
Il y a de la sécurité partout, mais je dois absolument
présenter quelqu'un à Martin.
« *Je te dis, Martin, tu vas l'aimer.* »
Le bureau où je vais est dans le fond là-bas, à droite.
Un gardien de sécurité me voit, me reconnaît et me laisse
passer.
Il regarde Martin Roy d'un drôle d'œil, mais comme il est
avec moi, le laisse aller. Nous arrivons au bureau.
Je réalise que le gars que je voulais que Martin Roy
rencontre, c'est Martin Roy lui-même.

NOUVEAU PERSONNAGE
Martin Roy
Un ami depuis 1996. Réalisateur de sport. Comique.

Cinquante-troisième nuit
MARDI 11 JANVIER 2005

187. Dans la bouteille
Je suis à une table avec Simon, Francis et un chroniqueur
automobile.
Je pisse dans une grosse bouteille vide.
Je dois remettre la bouteille à quelqu'un.
En sortant de la place où je suis, je reconnais la fille qui est
à la caisse.

C'est la blonde d'un ami de François Roy, une fille aux cheveux noirs.

Elle est propriétaire du resto.

Elle me demande si c'est moi qui ai appliqué mon maquillage.

« C'est pas très réussi. Veux-tu que je te maquille moi-même ?

— Je n'ai pas le temps, faut que j'y aille, on m'attend. »

Je quitte, seul.

188. Avant-match

Dan Gignac est à l'autre bout de la rue.

Il crie mon nom et me lance une balle orange, de la dimension et du poids d'une balle de baseball.

Il a un bras puissant et la balle passe par-dessus ma tête.

Derrière moi, un jeune garçon se promène en vélo.

J'ai entendu un bruit et je suis certain qu'il a reçu la balle au visage. Heureusement, ce n'est pas le cas.

Il l'a reçue, mais sur la hanche. Pauvre garçon.

« Tu en auras reçu des balles, toi, depuis que tu habites ici.

— C'est pas grave, ça fait pas mal. »

Je vais au dépanneur de mon enfance, chez Guzzi, et je trouve sur le bord de la rue, une boîte pleine de balles de toutes sortes.

J'en reconnais quelques-unes. Ce sont les miennes.

J'en donne une à Richard Garneau qui passait par là.

Il voulait se lancer avec un collègue que je ne reconnais pas.

Yvan Martineau est avec eux.

Je lui demande s'il va au Forum pour le troisième match Canadiens-Bruins, ce soir. Boston mène la série 2-0.

Il y sera.

Réginald Tremblay, qui est aussi présent, me dit qu'Yvan Martineau est son idole depuis toujours.

Je lui fais remarquer que la carrière active de Martineau n'a pourtant pas duré très longtemps. Quelques saisons à peine.

« Il m'invitait souvent à son show de fin de soirée. »

En attendant le match de hockey, je suis dans un sanatorium où il y a plein de junkies à l'héroïne. Une fois de temps en temps, un d'eux, en crise et en sueur, va s'enfermer dans ce qui semble être une petite salle de bain, un placard.

Il a besoin de son *fix*.

Il referme la porte.

Quand elle s'ouvre, on aperçoit le pusher qui vend une dose au pauvre malheureux. Le gars se calme, mais il hallucine.

Je vois ces hallucinations comme un film.

Il se promène en ville tout près de balcons et d'escaliers qui s'entremêlent.

Plein de gens qui marchent en direction du Forum.

189. Scully est trop pâle

Je dois faire une entrevue avec Robert-Guy Scully.

Un témoignage vérité-choc auquel il a accepté de se prêter.

La direction de Radio-Canada insiste pour que je lui mette une poudre foncée dans le visage, car il est trop blanc.

« *Tu peux faire l'entrevue, mais arrange-toi pour y mettre de la couleur.* »

190. Voiture perdue

C'est l'hiver, je suis au volant de ma Honda Civic bleue.

Je suis sur l'autoroute quand ma voiture glisse sur une grande plaque de glace. La voiture se met à faire des 360 degrés avant d'aboutir sur le terre-plein.

C'était la panique totale, j'ai eu la peur de ma vie.

Un attroupement de policiers en voitures et à pieds sont arrivés immédiatement, mais pour faire autre chose.

Ils ne s'occupent pas de ma détresse, les salauds.

Je quitte la scène et je me retrouve chez un concessionnaire pour voir si tout est sous contrôle. Ils m'assurent que oui.

Je veux retourner chez moi, mais je ne retrouve pas mon auto.

Je la cherche, je la cherche, je la cherche partout, je reviens,
je retourne, j'ai perdu mon auto.
J'ai juste le goût de pleurer.
France arrive et me calme.
« *Je vais la trouver, moi, l'auto.* »
Elle l'a retrouvée tout de suite, elle était juste mal
stationnée.
C'est pour ça que je l'aime. Elle retrouve toujours mon auto.

191. Baptême juif
Je passe à travers une église.
Dans l'église, c'est plein de petits espaces sacrés, de
planchers de céramique foncée et de boiseries.
Des grandes tables et des cabinets.
C'est la journée de la préparation au baptême juif.
Des jeunes filles de 10 ans, habillées de la même façon
(tunique bleue et bonnet blanc), préparent une cérémonie :
décorations, costumes, objets bibliques, nappes, dans une
ambiance sacrée, en silence.

NOUVEAUX PERSONNAGES

Richard Garneau
Vétéran animateur, journaliste, chroniqueur sportif.

Yvan Martineau
Journaliste sportif à la télévision.

Réginald Tremblay
Un ami, amateur de baseball.

Robert-Guy Scully
Animateur, producteur blond et brillant.

Cinquante-quatrième nuit

192. Marteaux

Je suis chez ma mère avec ma sœur Jocelyne.

J'ai peur que des voleurs n'entrent dans la maison.

Je sais qu'il y en a qui rôdent autour.

Il faut que je trouve une arme.

Je vais dans le garage chercher une hache, une petite hache que je pourrai cacher dans mon pantalon, derrière, comme dans *Les Sopranos*.

Je n'en vois pas.

Je m'étonne du fait que mon père collectionne les marteaux.

Il y a plein de marteaux de toutes les grosseurs, de tous les modèles.

Des beaux marteaux propres et brillants.

Est-ce qu'un marteau réussira à me sécuriser? J'en doute.

Je respire. Je trouve une petite hache bleu pâle.

Je la cache.

Cinquante-cinquième nuit

193. Rivière nocturne

Loin de la ville, dans la nature par une nuit d'été.

Nous sommes sept en expédition.

En toute fin de parcours, il y a une rivière à traverser. Il y a une passerelle de bois à fleur d'eau. La rivière est quand même assez large et on n'y voit rien.

J'y vais.

Aux trois quarts de la traversée, la petite passerelle cale dans l'eau et je ne la vois plus, je sais qu'elle est là, mais elle est invisible dans l'eau foncée.

Je suis surtout inquiet pour France qui suit, un kilomètre derrière.

Je sais qu'elle aura peur.

Je suis entré dans le petit chalet rustique où un couple nous attendait.

Ils ont préparé du homard pour tout le monde. Plein de homard.

Une question me brûle alors les lèvres.

« *Comment vous faites pour différencier les homards mâles et les femelles ?* »

La fille m'explique que ça se détermine par l'agressivité de la bête.

La pince mâle est plus agressive.

Son chum m'a pris par le cou et m'a forcé à me regarder dans un miroir. Il a ensuite saisi un homard cuit, mais toujours vivant. Avec la pince du homard, il se préparait à me découper une partie de la joue et du cou.

Sa blonde l'a arrêté.

« *Ok ! Ok ! Je crois qu'il a compris.* »

Je m'en fais pour France.

Elle n'est pas encore arrivée. Je stresse.

Enfin, elle entre dans le petit chalet.

Elle a eu peur, surtout dans le dernier bout, quand la passerelle disparaît dans l'eau brune et qu'il faut marcher à l'aveuglette. Je le savais.

Il faut souper et retourner tout de suite. Elle est découragée.

Pour détendre l'atmosphère, j'ai émis le souhait que les autorités locales fassent construire un pont dans la prochaine demi-heure.

Tout le monde s'est esclaffé.

194. Musée Jésus

Sur les murs autour d'un vaste escalier en colimaçon, il y a une exposition d'objets et de peintures du temps de Jésus-Christ.

On doit visiter ce musée, une personne à la fois.

Il se crée un espace entre moi et le visiteur qui me précède.

Je trouve qu'il va beaucoup trop vite.

195. Radio Énergie au Forum

Une trentaine d'employés d'Énergie installent un vaste
équipement au Forum de Montréal pour une émission
spéciale.

Même s'ils étaient saouls, hier soir, tous les directeurs y sont.

J'ai croisé Luc Tremblay dans le garage, et il m'a demandé
d'aider à transporter les choses.

Alain Bourque est le conducteur d'un long camion rempli
de matériel.

Il tente de reculer dans un corridor très étroit sans briser les
miroirs.

Il réussit.

Un employé a volé des palettes de chocolat.

Je l'ai vu et je n'ai rien dit.

Je marche tout juste derrière l'acteur Rolland d'Amour,
habillé d'un étrange complet à carreaux. Il est là pour
participer à une parodie des *Grandes Gueules* sur l'ancien
téléroman *Rue des Pignons*.

M. D'Amour y jouait le rôle de Flagosse Bérichon.

Les techniciens ont cloué un plancher de *plywood* au niveau
de la galerie de la presse pour y installer les studios.

Je me couche à plat ventre sur le plancher et je suis
incapable de me relever.

Je suis attiré vers le bord du plancher, contre mon gré.

Comme il n'y a pas de rampe de sécurité, je suis tout juste
au bord.

J'ai peur de tomber, je ne veux pas mourir bêtement,
comme ça.

Je demande à François Allaire de me donner un coup de
main pour me relever, mais il pense que je joue la comédie
et rit plutôt que de m'aider.

Un spectateur qui est juste à côté de la galerie me pousse en
bas et je tombe à l'étage inférieur.

J'aboutis à une table, où le président du Canadien, Pierre
Boivin, est à un lunch avec une autre personne.

Il me regarde avec un air bête. Je fais comme si tout était
normal.

Je suis pieds nus.

Je m'assois à une autre petite table à deux pas de lui.

Alors que j'étais distrait, deux filles viennent occuper ma table et je n'ai d'autre choix que de quitter.

En marchant vers la sortie, je regarde derrière si mes souliers y sont.

Une serveuse me dit que je n'avais pas de souliers en arrivant.

Dans l'escalier en remontant vers la galerie, je remarque un poster sur le mur. Un poster de moi-même avec les cheveux droits dans les airs, à la Don King. C'est une publicité d'Énergie.

C'est écrit : « L'entrevue » sur l'affiche.

On fait référence à une entrevue avec Éric Lucas.

Rendu en haut, je fouille dans mes poches et je trouve un paquet de cigarettes. Il reste deux cigarettes dans le paquet.

Je suis avec Stéphane Lefebvre et mon cousin Robert qui a une guitare électrique qui joue toute seule.

Stéphane improvise une chanson sur deux gars qui font la météo et Robert la trouve très drôle.

Plus loin, Réal engueule Christian Hamel.

Réal est fier de participer à la prochaine série de Réjean Tremblay, son idole de jeunesse. La série s'appelle *Ciné Club*.

NOUVEAUX PERSONNAGES

Luc Tremblay
Vice-président d'Énergie et de Rock Détente. Brillant. *Top shape.*

Alain Bourque
Réalisateur des *Grandes Gueules*.

Rolland d'Amour (Flagosse Bérichon)
Personnage de *Rue des Pignons*.

François Allaire
Ancien entraîneur des gardiens du Canadien de Montréal.

Pierre Boivin
Président du Canadien.

Éric Lucas
Boxeur.

Cinquante-sixième nuit
VENDREDI 14 JANVIER 2005

196. La chemise d'Éric est ruinée
Éric Salvail me dit que de toutes les fois où il a été interviewé, de tous les gens qui l'ont interrogé dans les médias, la meilleure et la plus *clean*, c'est Mitsou.
Il relate un souvenir particulier.
Quand Mitsou avait son émission du midi, une émission au titre bizarre dont je ne me souviens plus, il avait été reçu et il n'y avait eu aucune allusion à sa vie privée, ce qu'il avait beaucoup apprécié.
Mitsou et Éric avaient eu beaucoup de plaisir.
L'entrevue s'était terminée par un petit concept physique qui avait mal tourné et Salvail s'était retrouvé plein de peinture noire et de peinture blanche dans le visage, et surtout sur sa nouvelle chemise.
Les deux recherchistes, Mitsou et Salvail lui-même avaient beaucoup ri.
Éric s'en faisait avec la réaction de sa mère. C'est elle qui avait acheté la chemise, exprès pour sa rencontre avec Mitsou.
Maintenant que la chemise était ruinée il se demandait comment maman allait réagir.
Il avait peur de lui faire de la peine.

197. En attendant de souper
Je suis aux États-Unis dans le Sud-Ouest.
Je dois aller souper avec France.
Je veux aller manger du japonais très chic.
Je l'attends et je ne la vois pas.

155

Je vais dans un stationnement de centre commercial.

Il y a une chorale. Les choristes ont des grandes robes de différentes couleurs, toutes unies.

Je m'installe dans la première rangée de la chorale et je vois France marcher sur le trottoir juste à côté. Je la vois, mais elle ne me voit pas.

Il ne lui vient pas à l'idée que je puisse faire partie de la chorale.

De mon côté, je n'ose pas crier et fucker les chansons.

J'aurais peur que toute la chorale me saute dessus.

Mais France s'éloigne et, si je ne crie pas, je la perdrai de vue.

Je n'ai pas le choix, je la siffle.

Elle reconnaît le son de mon sifflet, typique, se tourne, me voit et me fait signe d'aller la rejoindre.

Je me sauve en m'excusant dans ma belle robe mauve.

France a trop faim pour aller attendre dans un resto japonais, et décide de traverser le boulevard et manger chez A&W.

Sans s'en rendre compte, elle passe devant une petite famille au comptoir des commandes. Un papa, une maman et deux petits garçons aux cheveux roux.

Je lui passe gentiment la remarque pour ne pas l'effaroucher.

« *Tu es passée devant la petite famille, mon amour...* »

Le type qui prend les commandes au comptoir parle français même si nous sommes en Californie, et signale à France que, en effet, elle est passée devant, mais que ce n'est pas si grave.

France remarque que la mère est en furie et accepte d'aller derrière.

En se rendant en queue de ligne d'attente, elle passe une remarque désobligeante sur la maman.

Surprise, la maman est une Québécoise, et elle a tout compris.

Je rougis.

198. Voiture sur le dos

J'ai rendez-vous avec France sur un coin de Jean-Talon, près d'une gare, à 17 h. Je suis avec Francis dans une Toyota Celica rouge.

Le temps passe. 17 h 30. 18 h 00. 18 h 30.

On fait le tour, et on ne la voit jamais.

Elle est en retard.

Nous passons devant une taverne et un autre débit de boisson : une terrasse extérieure fréquentée par des gens de 50 ans et plus.

C'est le 5 à 7 et ils ont beaucoup de plaisir.

Ils chantent une de mes chansons.

Une chanson traditionnelle à répondre, très joyeuse, qui a beaucoup tourné à la radio et que tout le monde connaît par cœur. Un des joyeux fêtards me reconnaît dans ma voiture. Il me crie après. Je lui réponds en lui faisant un signe de la main. Ça me fait plaisir.

On décide d'aller attendre en auto sur le quai de la gare.

Il faut monter au deuxième étage. Pour ce faire, on transporte la voiture sur nos épaules, dans l'escalier.

On s'assoit dans une salle d'attente.

Derrière nous, Enzo Ferrari.

Je vois sur le sol, la tête d'une fille aux lèvres pulpeuses avec verres fumés, grandeur nature. On la croirait vivante.

Accrochées après la tête, des clefs.

Je ramasse le tout, en pensant que c'est sûrement quelqu'un qui l'a oubliée.

Juste comme je prends le crâne, je vois une fille arriver.

Elle était sûrement partie à la salle de bain.

Je conclus que c'est à elle et la laisse là.

On quitte la salle d'attente.

On marche sur les rails, toujours avec la voiture sur le dos.

On devra passer par-dessus une clôture pour revenir à la maison, parce que c'est beaucoup plus court que le chemin régulier.

On saute par-dessus la clôture, en passant l'auto au bout de nos bras.

De l'autre côté, je cours dans un vaste champ tout en collines et pelouse.

Un type est au bas des collines et me lance des petits cônes de huit pouces, un peu comme si c'étaient des ballons de football.

Lui est sur place, moi je cours.

Les premiers ne m'atteignent pas, mais au bout de deux ou trois essais, il me touche à chaque fois.

Ce n'est pas une attaque, c'est un jeu.

Le gars est très gentil. Il travaille à *La Presse.*

Il me dit son nom et je me souviens l'avoir lu en caractère gras.

« J'ai commencé à travailler quand un vieux journaliste m'a demandé de le suivre dans son travail. J'avais 10 ans. Je n'ai jamais quitté le journal par la suite. »

Il me montre une photo.

Francis et moi, on monte dans l'auto.

On retourne à la maison par l'autoroute des Laurentides.

NOUVEAUX PERSONNAGES

Éric Salvail

Animateur télé. Collègue de travail à la radio. Sensible. Vrai.

Enzo Ferrari

Bâtisseur de voiture. Italien. 1898-1988.

Cinquante-septième nuit

SAMEDI 15 JANVIER 2005

199. Ménage et monde parfait

France est fâchée.

Elle fait le ménage à contrecœur.

Elle dit regretter que le monde ne soit pas parfait.

« Si le monde était parfait, si le monde était idéal, tu ferais le ménage et tu peinturerais tout en blanc, je ne serais pas obligé de te le demander. »

Je réplique, bien sûr.
« Si le monde était parfait, le ménage serait toujours fait. »
Je suis fier de ma répartie.

200. Vélo et église

Juste avant la messe, un dimanche matin d'été, Vincent Leduc, John Ehrlichman, Bob Haldeman et moi sommes en vélo dans le stationnement de l'église Saint-Martin.
On trame un coup.
Délinquants, on veut faire une course avec des autos.
On s'installe au bout d'une rue qui aboutit dans le stationnement et on fait exprès pour retarder la circulation. Une fois qu'il y a suffisamment de voitures à notre hauteur, une dizaine, on part en flèche.
Pleine pédale !

Après la messe, en revenant à la maison, ma sœur Sylvie me fait un discours.
Elle est complètement en désaccord.
« Depuis quand tu forces les autres à participer à ta cause ? Tu n'as pas le droit de forcer des gens à faire ce qu'ils ne souhaitent pas faire. C'est immoral. »
Je sais qu'elle a raison.

NOUVEAUX PERSONNAGES

Vincent Leduc

Vice-président de Zone 3. Un ami. Brillant, humble, sensible et drôle.

John Ehrlichman (1925-1999) et Bob Haldeman (1926-1993)

Les deux principaux soldats de Richard Nixon, lors du Watergate. Ehrlichman était *Domestic Affairs Adviser* et Haldeman était *Chief of Staff.*

Cinquante-huitième nuit

201. Baiser pour des sous

À la table du restaurant d'un casino, Alys Robi raconte que, contrairement à la rumeur publique, elle a toujours détesté baiser.

Elle trouvait ça insupportable.

Elle le faisait souvent, mais jamais avec plaisir.

Elle raconte qu'un jour un monsieur juif très riche lui a donné 1 600 000 dollars pour pouvoir la baiser.

Juste au moment où elle raconte l'anecdote, Alys se transforme en Janette Bertrand. Je suis ami avec Janette et ça me déçoit beaucoup d'apprendre qu'elle a déjà couché pour de l'argent.

202. Le fatigant au miel

C'est le dernier jour des vacances à Las Vegas.

Nous sommes avec un groupe.

Il y a un gars dans le groupe qui veut que j'écrive une chanson avec des petites rimes idiotes pour faire un résumé de ses vacances. Il en a besoin pour un travail ou un événement quelconque.

Ça ne me tente pas d'écrire des niaiseries, mais je suis naturellement incapable de dire non.

Il est petit avec des lunettes et tape sur les nerfs de tout son entourage.

Pour dîner, il mange des sandwiches aux cretons, coupées comme des pointes de pizza.

Il y a trois gars du groupe qui ont voulu lui voler son sandwich aux cretons et qui lui ont finalement volé un sandwich au jambon très épais.

Ils sont entrés, lui ont pris le sandwich et sont ressortis aussitôt.

Pourquoi ce vol ?

« On est tannés. Tannés de ses petites enveloppes de miel. Il a toujours les doigts pleins de miel et en met dans les vitres de l'auto. Ça va faire. »

Pendant ce temps, il m'explique ce qu'il veut que je lui écrive.

« Je sais ce que tu veux. Je le sais. Tu veux un résumé de tes vacances avec des rimes, câlice ! »

Pendant qu'il explique, son visage se transforme.

Il devient un boîtier de vieil appareil photo.

Puis redevient un visage. Et un boîtier. Visage, boîtier.

Toujours avec des verres fumés.

Pierre Brassard est devant lui et prend des photos pour illustrer mes textes. Le gars prend la pose.

Je suis tanné de ces histoires-là.

Tout ce que je veux, c'est aller passer deux ou trois heures sur une table de jeu. On n'a pas joué une minute depuis le début des vacances.

Comme chaque fois en rêve, je sortirai de Vegas sans avoir joué.

203. Payer le cégep

On est samedi soir.

Je suis dans un souper avec quelques personnes.

Pour faire une blague, je me lève.

« Bon. Je vais aller au cégep pour payer les frais de Francis. »

Tout le monde rit.

Je me lève et descends un très long escalier droit.

Au bas de l'escalier, Francis m'attend et m'indique le chemin de la table.

« Arrête de niaiser, p'pa, viens finir de manger. »

NOUVEAU PERSONNAGE

Pierre Brassard

Acteur, humoriste, animateur. Très drôle. On partage certaines amitiés.

Cinquante-neuvième nuit

LUNDI 17 JANVIER 2005

204. Sommeil difficile

Nous sommes une dizaine, couchés dans un vieux dortoir
de camp de vacances. Gregory Charles est là.
Plusieurs campeurs parlent en dormant, dont moi.
Mais c'est surtout de moi qu'on se moque.
Je marche dans le dortoir, somnambule et je cherche un lit.
Je cherche une position pour me coucher. Je cherche. Je
cherche.
Louis-Alexandre Aubertin est celui qui rit le plus fort.
Il manque deux gars dans le dortoir, un lit est donc libre,
puisqu'on couche deux par lit.
Un des deux absents est entraîneur d'une équipe
d'informatique.
Il est parti dans une compétition.
Gregory me voit inquiet et m'offre son lit.
« Couche-toi ici, moi, je n'ai pas besoin de sommeil. »
Je ne l'entends pas.
Je crois avoir trouvé un endroit pour dormir dans un coin
du dortoir.
Un coin très serré.
Je m'y étends et réalise que j'ai le dos collé sur un calorifère
qui chauffe. *Shit.*
Je vais finalement me coucher dans le lit des deux absents.

Mon cousin Yves, aussi dans le dortoir, est fâché.
On lui a volé des cassettes de tournage.
Je lui demande s'il lui manque du matériel important.
Il me répond oui et poursuit son chemin, boudeur.

Je me pose une question.
Est-ce que rêver qu'on fait de l'insomnie équivaut à en
faire ?

205. Stress radiophonique

NOTE *Pour saisir l'essence du texte qui suit, je vous recommande d'aller courir un kilomètre le plus vite possible. Si cela vous est impossible, trouvez une autre façon de vous essouffler.*
Il faut lire ce texte à bout de souffle et, si possible, à voix haute.

Je dois faire mon commentaire dans sept minutes aux *Grandes Gueules* et je ne l'ai pas encore écrit. Rajouter du stress.
Je panique.
Je suis impatient.
Je tente d'appeler en studio, personne ne répond.
J'ai peur d'avoir l'air fou en ondes.
J'essaie de l'écrire, mais la pression fait en sorte que rien ne sort.
Je veux faire un commentaire sur mon grand-père Avila, qui aurait eu 100 ans. Mais j'abandonne l'idée, parce qu'il me faudrait alors en écrire un nouveau pour le lendemain matin.
Je cherche partout. Je cherche mon commentaire.
France me dit que j'ai écrit un commentaire ce matin sur des gars qui couchent dans un dortoir.
« *Non, non... C'était pas un commentaire, c'était un extrait de livre.* »
Il y a une pile de journaux. Je fouille.
Dans la pile, une version particulière du *Journal de Montréal*, une version exclusivement réservée à la pornographie gériatrique.
Je me dis que je devrais en voler une copie.
À la dernière minute, je réussis à parler à André Furlatte, et je lui demande de passer l'enregistrement du commentaire du matin.
Dans le studio, France tire sur un fil et toutes les lumières de Noël tombent. Mais je n'en fais aucun cas, ce ne sont pas mes lumières, elles appartiennent au locataire de la deuxième moitié du studio.

206. Les cheveux de Francis

Francis a les cheveux très longs et il demande à France de le peigner.

Elle accepte. Mais, ainsi le veut la suite, c'est elle qui s'assoit sur la chaise avec les cheveux de Francis sur la tête.

C'est Francis qui la peigne d'une façon très malhabile.

France tente de lui montrer comment faire.

Elle trouve que ça tire.

207. Tiger contre Becker

Je suis avec Félix.

Nous regardons le tournage d'un documentaire. Pas sur cassette : en direct.

C'est une étude comparative entre les vies et les philosophies de Boris Becker et de Tiger Woods.

Pour les besoins du tournage, le rôle de Tiger Woods est tenu par un mélange de Bjorn Borg et de Ron Howard.

On le voit qui file dans sa voiture décapotable.

Il prend une courbe sur une route panoramique non loin de Santa Barbara en Californie.

Il arrive à son hôtel.

Le règlement de l'hôtel est clair.

Tout le monde (employés et clients) est obligé de sourire à Tiger.

La direction est très stricte.

Si on prend quelqu'un à ne pas sourire à Tiger, il est expulsé.

NOUVEAUX PERSONNAGES

Mon cousin Yves Tétreault
Le fils d'Ernest, le plus vieux de mes cousins Tétreault.

Boris Becker
Ancien joueur de tennis allemand.

Bjorn Borg
Ancien joueur de tennis suédois.

Ron Howard
Réalisateur américain.

Soixantième nuit

208. Photos

Au comptoir du dépanneur, il y a Sylvianne Desjardins. Elle est très sexy. Elle porte des jarretelles faites de petites chaînes et elle a un décolleté avec des seins volumineux. Mais elle est triste.

Elle me dit que tout est à recommencer, elle a besoin de nouvelles photos.

À l'arrière de son dépanneur, il y a un endroit où imprimer des photos, je vais jeter un coup d'œil.

Elle ne veut pas de photos érotiques, mais des photos très ordinaires et quotidiennes. En voyant l'agrandisseur, j'allume.

Moi aussi, j'ai besoin d'une photo.

Je regarde mes négatifs, ce sont des négatifs couleur, mais j'ai besoin d'une photo noir et blanc.

Un type sur place me dit qu'il n'y a pas de problème.

La plupart des photos sont en solo et je ne les aime pas. J'ai l'air *phony*. Je pose trop.

J'en choisis une où je ne suis pas seul.

Il y a François Roy qu'on aperçoit en arrière-plan et ma tante Yolande en avant-plan.

Je demande à Sylvianne de me l'imprimer.

« *Je te rembourserai le papier.* »

209. Ardisson vantard

À la télévision, Thierry Ardisson se vante d'avoir le *beat*, parce qu'il a dit une phrase sur le même rythme que la chanson qu'il enchaîne.

Je sais qu'il n'a même pas fait exprès.

210. Commerciaux anglais

Normand Brathwaite est dans un studio d'enregistrement avec Marie-Claude, sa blonde.

À cause des origines jamaïcaines de Normand, ils enregistrent des commerciaux vantant les mérites de la langue anglaise.

Les commerciaux sont improvisés.

Ils ont beaucoup de plaisir et le résultat est très comique.

211. Je suis Joël Le Bigot

Il y a une file d'attente dans une soirée chic du show-business.

Je suis dans la file. Juste devant moi, il y a Mitsou et Iohann.

Personne ne me connaît. Personne ne me reconnaît et j'en suis très heureux. Je trouve ça drôle.

Quand je me présente aux gens je dis que je suis Joël Le Bigot.

Personne ne connaît Joël non plus.

Mitsou discute avec Iohann.

Elle se demande comment il se fait que nous travaillions ensemble.

212. Boîtes sur le mur

Je suis avec Véronique Cloutier au chalet de ma mère.

Nous regardons le mur derrière le sofa du salon. Il y a là des boîtes qui m'intriguent et me font rire.

Ma mère me dit que ce sont des cadeaux pour moi qu'ont apportés Véronique et son nouveau mari.

Je vois son mari : c'est un petit gros, laid et quétaine.

Je n'en reviens pas.

213. Chez le Dr Perron

Je suis chez le Dr Perron avec France.

Nous y sommes pour avoir un avis sur une bouteille de pilules que France a commencé à prendre. Des petites pilules brunes qui ressemblent un peu à des minuscules champignons. La bouteille est encore presque pleine.

Les pilules ont un nom scientifique à trois grands mots qui commencent par la lettre « A ».

Le docteur interdit formellement à France de continuer à les prendre.

« *Ce sont des pilules très dangereuses et le danger
d'accoutumance est aigu.* »
Le docteur me dit qu'il a écrit un livre scientifique illustré.
Il me montre une image très grosse d'un pénis avec tous les
détails.
Cette image m'inquiète.
« *Docteur, si un jour vous avez à m'opérer là. Je veux que vous
m'endormiez pour au moins trois jours.* »
L'éventualité de subir une opération au pénis fait paniquer.

NOUVEAUX PERSONNAGES

Sylvianne Desjardins
Grande blonde à l'école Saint-Martin, 1970.

Thierry Ardisson
Animateur de *Tout le monde en parle* en France.

Marie-Claude Tétreault
Aucun lien de parenté, la sympathique épouse de Normand
Brathwaite.

Joël Le Bigot
Animateur radio à la SRC, le meilleur de la profession.

Iohann Martin
L'homme dans la vie de Mitsou. Le papa de Stella Rose.

Dr Robert Perron
Le médecin de France depuis toujours. Désordonné.
Chasseur. Brillant.

Soixante et unième nuit
MERCREDI 19 JANVIER 2005

214. Piments forts
Chez Schwartz, rue Saint-Laurent.
Je veux avoir un piment fort, mariné. Je ne vois pas de pot.
Je demande à un monsieur juif, serveur.
Il va chercher un énorme pot.

Je lui demande si le pot s'ouvre par le haut et aussi par le fond.

« Oui, les piments du fond sont beaucoup plus forts et, depuis quelque temps, très populaires. »

Il ouvre le gros pot par le fond.

Je vois qu'il y a des minuscules piments blancs, à l'intérieur des rouges.

Comme si les piments rouges étaient enceints.

Il sort les petits piments, les étend sur une serviette de table et remet le fond.

215. Trois jeunes néonazis

Je suis dans un autobus avec Francis.

Nous ne sommes pas sur le même banc, il est assis devant moi.

Une dame entre dans l'autobus.

Immédiatement, elle remarque que trois jeunes néonazis sont assis et chantent une chanson nazie.

Elle les insulte.

Les trois jeunes crient au chauffeur d'autobus qu'ils veulent entendre la station 98,5. C'est la station nazie de Montréal.

Je regarde surtout la dimension de leurs bras.

Je me demande ce qui va se passer si la bagarre éclate.

Qu'est-ce que Francis va faire ? Qu'est-ce que je vais faire, moi-même ?

Jean-René Dufort s'assoit à côté de moi et met sa main sur ma cuisse. Je l'arrête tout de suite. Je suis certain qu'il veut me toucher le sac.

Il proteste.

« Non, pas du tout. Je veux juste voir si tu es musclé de la cuisse. »

Il se transforme en Jean-Pierre Laurendeau.

L'autobus s'arrête tout près du campus de l'Université de Montréal.

Les trois jeunes débarquent au même endroit. Je discute avec l'un d'eux. Il m'explique que, chez lui, les planchers craquent. Il fait une imitation vocale du bruit de ses planchers.

Nous croisons une petite fille qui tient un lapin en laisse. Son lapin a une énorme tête.

Les trois gars voulaient aller démolir un bout du campus, mais personne ne s'en occupe. Les étudiants sont dans le stade de l'université et assistent à une compétition. Au début, je pense que c'est une partie de football, mais je m'aperçois vite que c'est une partie de baseball.

Je vois à travers la clôture qu'un lanceur se réchauffe. Il a les cheveux très longs, gris, presque blancs. Il est habillé en survêtement de peintre en bâtiment, tout sale.

C'est un gaucher.

NOUVEAU PERSONNAGE

Jean-Pierre Laurendeau

Vice-président Canal D. Je l'ai connu au collège en 1967. Brillant. Curieux.

Soixante-deuxième nuit

JEUDI 20 JANVIER 2005

216. Un serpent parmi les livres

À la maison, j'ai une bibliothèque dans le salon, où les livres sont placés très haut. Il faut grimper sur un banc pour y accéder.

Je remarque sur les livres, tout en haut, un serpent de la dimension d'une couleuvre. Un type de serpent que je n'ai jamais vu.

Ma sœur Jocelyne, assise à mes côtés dans le salon, me donne le nom de la vipère. Un nom scientifique que je n'ai pas retenu.

Une dame sort de la salle de bain.

C'est une dame très instruite.

Je lui montre le serpent qui court entre les livres de ma bibliothèque. Elle confirme ce que Jocelyne m'avait dit et

répète le même nom, en me donnant des détails
scientifiques sur l'espèce.

Tout le monde a peur de l'animal, sauf moi.

Je grimpe sur un banc et le saisis par la queue. Je le mets
dans un pot et je sors par la porte avant.

Il pleut.

J'ouvre le pot et libère le serpent.

Alors qu'il glisse sur le pavé, je lui écrase la tête à mort.

217. Initiative d'un magicien

Je dirige l'enregistrement d'un quiz à la télévision, animé
par Ginette Reno. Il y a un seul concurrent qui doit
répondre à des questions sous la même thématique : un
mois de l'année.

L'émission d'aujourd'hui porte sur le mois de novembre.

Alain Choquette, qui passait par là, prend l'initiative de
s'emparer d'une grosse caméra. Il l'apporte à l'extérieur
pour filmer des images qui, selon lui, pourront nous servir
lors du montage final de l'émission.

Chico, qui réalise l'émission, est dans tous ses états.

Danielle Deschênes, la productrice exécutive, est aussi
fâchée.

Alain prétend qu'il pourra filmer des motocyclettes et que
ça ajoutera une dimension intéressante au show.

J'essaie de le raisonner en lui disant qu'il n'y a pas de motos
en novembre. Rien n'y fait.

218. Sport à la télévision

Je suis dans un local plein de moniteurs télé, avec Michel
Villeneuve.

C'est le début des séries d'après-saison dans la NFL.

À la télévision, il y a un match de baseball entre Saint-Louis
et Seattle.

Le match reprenait après avoir été retardé pendant des
jours parce que les joueurs d'une des deux équipes
boudaient.

Le receveur des Cards se fait évincer du match.

Dans le stade, on entend un seul spectateur qui crie comme un fou.

On sent que tout le monde blâme le joueur et approuve son renvoi.

Le joueur pleure et jure qu'il n'est coupable de rien, qu'il est victime de préjugés parce qu'il n'a pas la barbe rasée.

Jacques Parisien m'appelle et me demande si c'est prudent de parier sur les Browns de Cleveland, à cause de la présence de Steve Howlett.

Un de ses fils lui a suggéré de le faire.

Je lui dis de patienter.

« Je vois ça et je te rappelle. »

J'en parle à Villeneuve. Michel me dit que Cleveland est favori *« 0-9, 3-0 »*.

Je n'ai aucune idée de ce que ça veut dire.

Nous nous retrouvons dans un complexe de stationnement en rénovation.

Des travailleurs sont à décaper la peinture sur le sol asphalté et il est très difficile de trouver un endroit.

Les travailleurs reconnaissent Michel et se pressent pour lui décaper un espace. Il stationne et dit merci.

Michel fume des Player's.

Je me suis acheté des cigarettes menthol.

Des cigarettes « bonbon », dit Michel.

J'ai le goût de fumer et j'ai oublié mes cigarettes chez moi. Michel a collé quelques mégots ensemble et m'offre de fumer ça, en riant.

NOUVEAUX PERSONNAGES

Danielle Deschênes
Adjointe de Jacques Parisien. Mère de famille. Brillante et discrète.

Steve Howlett
Aucune idée, c'est le nom qui est apparu.

Soixante-troisième nuit

NOTE *Depuis que j'ai commencé à noter le contenu de mon inconscient, j'attends cette nuit. La nuit où Marie apparaîtra dans mes rêves.*

219. Party de fête

J'habite une nouvelle maison. Vaste, chaleureuse et toute en boiseries.

Une semaine avant mon anniversaire, France m'a préparé un majestueux souper de fête.

Il y a plein de monde.

Marc Labrèche y est avec Fabienne, son fils Orient et sa fille Léanne.

Il est le premier arrivé.

Tout de suite, il me demande si j'ai un muffin au pote. Je vais au frigo, je vois des muffins, mais je ne suis pas certain qu'ils contiennent l'épice magique.

France m'assure que oui.

Marc le bouffe.

Plein de gens arrivent et je ne les connais pas, ou si peu. Je les salue, les remercie d'y être, mais je suis incapable de me rappeler qui ils sont. La plupart ont un côté snob.

Personne n'a de cadeau, mais je m'en fous.

Je veux aller mettre de la musique. Mes CD sont disparus. France a fait « le ménage » dans ma discothèque, et il y a plein de vieilles cassettes *8 tracks* et de patrons de couture. Ça m'impatiente.

Elle a acheté tous les disques de la collection de Rosa Passos, une bonne douzaine. Elle s'est débarrassée des pochettes originales, et les a tous incluses dans un cartable de carton *cheap*.

Je suis incapable de mettre de la musique.

Près du lavabo dans la cuisine, essuyant de la vaisselle, il y a une dame aux cheveux roux, courts, avec des lunettes.

France me la présente.

« C'est ma tante Lucie. »

La dame reprend France.

« LuciLLE, pas Lucie. »

Je ne l'ai jamais vue de ma vie.

Je me demande qui sont tous ces gens, d'où ils viennent. Je crois reconnaître Marc Brunet. Mario Légaré est aussi parmi les convives.

220. Marie et le grille-pain

Je suis dans la cuisine. France est à la table avec Simon. Je me fais une rôtie. Marie est sur le comptoir et s'amuse avec le grille-pain.

Je la prends, et je la dépose tout près du lave-vaisselle en la réprimandant.

« Marie, touche pas au toaster, c'est dangereux. »

France me fait des remontrances.

« On sait bien. Tu trouves beaucoup plus important de bouffer ta toast que de laisser ta petite fille s'amuser. Égoïste ! »

Je me fâche.

Je débranche le grille-pain, le saisis par le fil et le lance, comme une fronde, dans la salle à dîner.

Marie y va et s'amuse avec.

221. Congrès et confettis

François Roy et moi sommes à un congrès politique.

Nous nous retrouvons dans une grande salle vide. Assis sur un banc, nous parlons de choses et d'autres.

Une fille arrive du fond de la salle. Elle semble préoccupée. Quand elle arrive près de nous, je lui dis, en blague.

« Mademoiselle, vous êtes dans la salle des problèmes personnels. Alors, si vous avez des problèmes personnels, pas de gêne, parlez-en... »

La fille me fait un air bête et m'envoie chier.

Je réalise que mon habit bleu foncé est plein de taches blanches. Je panique. Je pense que mon complet est victime d'une soudaine maladie de peau. Je n'ose pas y toucher. J'ai des chaleurs.

La dame à côté me dit de ne pas m'en faire, ce sont des confettis.

Nous sommes dans la salle des confettis.

En effet, si je gratte, les taches tombent. Ouf.

Cette dame s'appelle Monique Giroux. Elle est très active. C'est elle qui est en charge de toute l'organisation. Elle a 50 ans, des cheveux blonds courts et ne me regarde jamais dans les yeux. Je lui dis que je connais deux autres Monique Giroux et que je les aime beaucoup toutes les deux.

Cela la laisse indifférente.

Je lui demande ce que je peux faire pour aider.

Elle me dit d'aller aider le monsieur, là-bas, celui qui sort les poubelles.

Je m'empare d'un long sac qui ressemble à une immense saucisse.

En traînant le sac, je reconnais tout le personnel de la technique de Radio-Canada, sur place pour la diffusion de l'événement.

Ils me saluent.

222. Marie blessée

Je suis encore avec François Roy dans un endroit indéfini. À l'intérieur.

Marie se réveille et François la prend dans ses bras.

Elle a des petits cheveux courts de bébé, et baragouine dans un langage de bébé. Un type apparaît soudainement et me dit qu'il va traduire les propos de ma fille. Il dit être un spécialiste du langage de bébé.

Il me fait un peu suer.

Je lui indique que je sais très bien comprendre les propos de ma fille, je n'ai pas besoin de lui. Il disparaît.

Nous regardons Marie courir un peu partout.

On constate qu'elle a un « petit caractère ».

En courant, elle se frappe accidentellement la tête sur le mur et se blesse en tombant sur un trou de trappe à air au pied du même mur.

Le bord du trou est en métal blanc.

Elle ne pleure pas, mais je la prends pour éviter qu'elle ne se blesse davantage. En quelques secondes, ses cheveux ont allongé, et elle a vieilli.

Elle a fait un caca dans sa couche.

France arrive. Elle prend Marie, change sa couche en disant qu'elle commence à trouver ça un peu macabre.

Puis elle change d'idée.

Je vois que Marie a plein de plaques, d'un rouge vif, dans le dos.

NOUVEAUX PERSONNAGES

Fabienne Labrèche
Petite, jolie, forte, généreuse. Décédée en juin 2005.

Orient Labrèche
Fils de Marc, il adorait le hockey.

Léanne Labrèche
Fille de Marc, sportive.

Rosa Passos
Chanteuse brésilienne, Gregory me l'a fait découvrir.

Marc Brunet
Scripteur, auteur de *Le cœur a ses raisons*. Généreux.

Mario Légaré
Bassiste. Un grand artiste dans l'art de la gentillesse.

Marie Tétreault
Ma chère fille. Guide de ma vie, mon ange intérieur, un joli petit visage qui est sur tous les murs de ma maison. Sœur jumelle de Félix. Elle s'est envolée à 27 mois et demi. Elle influence ma vie tous les jours. Elle est ma référence. Mon gourou.

Soixante-quatrième nuit

223. La fontaine désactivée

La scène se passe devant un vieux collège privé.
C'est la vraie vie et c'est en même temps un film que j'ai vu plusieurs fois. Je connais les personnages et l'intrigue.
L'histoire d'un collège dirigé par une congrégation de religieux, dont le directeur est un homme très dur.
Devant le collège, il y a une fontaine.
J'ai décidé d'aller vider le boyau qui mène à la fontaine, sans que personne ne me voie, subtilement, comme un voleur.
J'ai croisé le vilain directeur dans le corridor, et jamais il n'a pu lire mes intentions dans mon visage.
J'ai dévissé le boyau. Un boyau vert.
Je suis revenu le porter plus tard alors que, cette fois, la place était pleine de monde. Des prêtres et des élèves.
Courageux, frondeur et fier, j'ai malgré tout décidé, au su et au vu de la foule, d'aller remettre le boyau en place et de réactiver la fontaine.

224. Barrette et le savoir

Michel Barrette me fait une leçon.
Il me raconte.
« *Quand l'homme faisait des longs voyages en bateau, dans la deuxième moitié du XVIIIe siècle, au moment où il quittait le port, il n'avait aucune éducation. Il apportait à bord la première version de l'encyclopédie, œuvre collective dirigée par Denis Diderot et sa sœur, il la transportait sur terre et mer pendant le voyage. Avant de revenir, il fallait que tout l'équipage l'ait lue et apprise par cœur.* »
Ainsi se propageaient la culture et la science.

J'ai mon estie de voyage.

Je lui demande où on peut voir les plus beaux lacs.

Sur une carte du Canada, je lui en pointe un au Manitoba. Le lac Winnipegosis.

Il me regarde et me dit :

« *Impossible, le lac a été asséché.* »

Barrette me montre aussi que toute la portion nord du Québec a été inondée volontairement par l'homme afin d'augmenter la production d'électricité.

225. Une guêpe asiatique au party BBM

Martin Champoux doit écrire des commerciaux radio pour moi.

Je vais le rencontrer dans un studio.

Je suis sur le trottoir en ville avec des gens du travail. Luc Tremblay et Martin Petit y sont. Nous allons dans un party BBM.

De l'autre côté de la rue, un touriste américain nu a été jeté dans un trou d'homme. Il crie, il pleure et implore.

Il a été agressé par une horde de gens : des cols bleus, des activistes en protestation, des passants.

Sa femme a rejoint un groupe protestataire.

J'ai le réflexe de me porter à son secours, mais je n'ose pas.

Il y a des images de la scène partout à la télé.

Tout le monde en parle.

Le party BBM se passe dans un endroit où il y a des tables de billard et des fauteuils tout autour. Une jeune consœur de travail que je ne connais pas, asiatique de 20 ans, porte une robe très sexy.

Elle est vraiment jolie.

Elle a les cheveux noirs comme la nuit, sauf pour une raie de trois pouces teintée en jaune vif, comme un « mohawk ».

Je fais tout de suite le lien avec une guêpe.

C'est une Québécoise. Elle vient me voir et me dit le plus sérieusement du monde qu'elle est amoureuse de moi depuis qu'elle m'a entendu la première fois à la radio.

Elle s'assoit sur moi, de face, en m'entourant la taille de ses deux jambes, Elle voit mon malaise.

Elle a un *string* et de la fine lingerie.

Je suis comblé, accablé.
Je ne sais rien. Ni quoi faire, ni quoi dire, ni quoi penser.

Ça va très bien.

226. Menuisier

Je veux changer la porte avant, chez moi.
Je veux mettre une « 12 » au lieu d'une « 14 ».
Dans une revue, il y a les photos des deux portes, à la page 12 et à la page 14. Je demande à Simon de regarder tout ça.

227. Un documentaire pour Félix

Un endroit hybride entre une station de métro et le Cégep Bois-de-Boulogne.
Félix est à une table avec Jean Guimond et moi. Jean lui donne 2000 dollars, en deux chèques. Un de 667 dollars, et l'autre de 1333 dollars.
C'est pour faire un documentaire sur un individu.
Félix a peur que le documentaire doive porter sur un hurluberlu qu'il a vu à l'entrée tantôt. Un fou. Mais comme Jean ne lui spécifie pas sur qui le documentaire doit porter, il pense qu'il devra lui-même choisir, ce qui le réjouit.
Ou encore le faire sur moi.
Pour quitter l'endroit où nous sommes, nous empruntons deux chemins. Parallèles mais séparés, lui est dans un corridor vitré.
Je marche à sa droite. De l'autre côté de la vitre.
En arrivant près de la porte de sortie je vois un type qui crie.
« Félix ! Je cherche Félix ! Félix, identifie-toi ! »
C'est un original. Il a un casque de hockey et porte des bobettes, il est assis sur un banc devant un énorme panier blanc en osier sur roues. Il a un gros sac à dos, en plus.
C'est le même fou qu'il avait vu.
Je crie. Je lui fais des signes. Il comprend ce que je lui dis de l'autre côté de la vitre. Il est déçu.

Il se présente au fou. Tout de suite, l'homme saute dans son panier avec son sac à dos. Félix doit, en plus, le pousser.

Ça va mal.

NOUVEAUX PERSONNAGES

Michel Barrette
Acteur, animateur, raconteur. Attachant. Sensible.

Denis Diderot
Il a codirigé la rédaction de la première encyclopédie avec Jean le Rond d'Alembert.

Martin Champoux
Animateur gentil, planté solide.

Martin Petit
Humoriste. Brillant, orgueilleux.

Soixante-cinquième nuit

DIMANCHE 23 JANVIER 2005

228. Deux trios et Diane

En ville pour quelques jours, nous sommes six gars dans un grand loft.

Je ne peux dire qui ils sont. Je sais que j'en aime trois et que, les deux autres, je les trouve plates et pesants.

Nous partons en ville en deux groupes, à la conquête du temps qui passe. Les trois que j'aime partent de leur côté et me laissent avec les deux trognons. Bof, me dis-je, je sais ce qui va se passer.

Mes trois amis vont rencontrer Diane Lelièvre et elle ne va leur parler que de moi.

« Où est-il ? Que fait-il ? Que devient-il ? »

Ce sera ma vengeance.

Tant pis pour eux.

Il y a une fouille dans le loft. Le policier qui semble monter la garde dehors est Bruno Blanchet. Je suis sur le trottoir et il parle à un autre policier.

« *Si tu trouves des biscuits, un peu partout, c'est les biscuits du jeune.* »

Le jeune, c'est moi.

Le policier chercheur de biscuits n'a trouvé que des biscuits bien rangés, par ordre de grandeur. Ce qui, légalement, leur garantit l'immunité.

Je remercie Dieu d'être un gars ordonné.

229. Diversion et parution

Je suis avec Jocelyne, chez elle.

Je me suis organisé pour que mon père appelle et tente de lui jouer un tour au téléphone. Il doit lui parler de l'affaire de la corde à linge.

Pendant qu'elle discute au téléphone, je me pousse dans la cour pour essayer de fumer une Marlboro, j'en ai quelques-unes sèches dans le fond d'un paquet.

Je n'ai pas le temps d'allumer, elle m'a suivi et me confronte.

Puis, elle change de sujet et me montre une affiche.

Deux armoiries, une au-dessus de l'autre.

« *C'est la couverture de mon prochain livre.* »

Une collection de ses meilleures bandes dessinées.

230. La bulle à Félix

Nous avons installé une bulle de plexiglas au milieu d'une vaste salle de séjour. Une énorme bulle, complètement insonorisée.

C'est mon idée. Une bulle teintée violet léger à l'intérieur de laquelle il y a un petit cinéma maison, un ordinateur, un lit.

Félix vient passer quelques jours et demande s'il peut rester dans ma bulle. Vas-y mon vieux.

France et moi sommes à table dans la salle à manger, à droite de la bulle, et on le regarde en souriant. Il nous fait des tatas. Il est bien.

Simon et Francis jouent de l'autre côté de la bulle.

NOUVEAUX PERSONNAGES

Diane Lelièvre
Une fille de mon adolescence. Cheveux noirs. Jolie et comique.

Bruno Blanchet
Créateur original, poète. Gentil génie.

Soixante-sixième nuit
LUNDI 24 JANVIER 2005

231. Partie perturbée par la foule
Une partie de baseball est arbitrée et jouée en même temps par Louis-Alexandre Aubertin.

Dans l'équipe locale, il y a Marc-André Roy et Francis.

Les adversaires, qui viennent des Îles-de-la-Madeleine, sont nettement plus forts, mais l'équipe locale mène quand même 32 à 18.

Louis est incapable d'instaurer la discipline de sorte que tout le monde est rendu sur le terrain : la foule, les officiels, les joueurs.

On n'y voit plus rien. On ne peut pas arrêter le match.

Parmi les gens qui font du grabuge, le pire est un petit garçon de huit ans.

Le petit garçon a une joue amochée. On peut y voir tout son système de veines et d'artères, c'est clair qu'il a été battu.

Ses parents ne sont pas responsables des blessures, ils sont là tous les deux, avec lui. Ils l'aiment et s'en occupent beaucoup.

Ce sont visiblement des gens à faible revenu.

Le papa a les cheveux gras et une moustache. La maman a les cheveux blonds. Elle est interviewée à la télévision où elle explique les difficultés d'avoir un enfant anormal, des malheurs que la situation a apportés et des façons de tenter de s'en sortir.

À quel point il est difficile de vivre avec un enfant agressif et agressé.

232. Pizza à refaire

France et moi sommes dans la cour chez Hélène et François, à Trois-Rivières. On doit quitter pour aller préparer mon souper de fête.

Nous ne pouvons pas bouger puisque la porte de la clôture est barrée.

Hélène ne peut nous l'ouvrir tout de suite, elle discute avec Louis Goyette et sa femme.

Je me souviens par cœur de la date d'anniversaire de Louis. Le 4 avril.

Louis la trouve drôle.

Sa femme (qui en fait est sa mère) me dit qu'elle est née le 21 mai.

Je réussis à ouvrir la porte.

France prépare une pizza. Mais en la faisant cuire, elle est certaine qu'elle est impropre à la consommation, elle pense que le pepperoni est fait à partir de la viande de rat.

Après la cuisson, elle lave la pizza à l'eau froide, avant de la remettre au four.

NOUVEAUX PERSONNAGES

Marc-André Roy
Coéquipier de Francis au baseball.

Hélène Brouillette
Épouse de François Roy, chef de clan. Généreuse, brillante.

Louis Goyette
Ami de ma petite enfance.

Soixante-septième nuit

MARDI 25 JANVIER 2005

233. Dans une salle au Moyen-Orient

France et moi sommes en voyage au Moyen-Orient.
Nous avons eu des billets pour assister à un spectacle.

En attendant de nous asseoir, un train passe non loin sur une colline.

France me dit :

« *Regarde les pompiers.* »

Je ne comprends pas pourquoi elle parle des pompiers.

Puis, je vois un wagon rouge. Elle a dû se mêler.

Une jeune placière nous indique nos sièges. Elle porte une blouse transparente et on voit clairement ses seins.

Sur les billets, il n'y a pas de places spécifiques où s'asseoir. C'est un spectacle continu qui est présenté 24 heures sur 24.

Je n'ai pas la moindre idée du contenu du spectacle. J'ai plus l'impression qu'on attend quelque chose. Il y a un roulement de spectateurs.

Nous y sommes entre 13 h et 15 h.

Certains quittent, d'autres les remplacent.

Je sens un malaise profond dans l'air.

Un homme arabe, en complet trois pièces et cravate, vient s'asseoir à la place de France, juste à côté de moi.

Je dis à l'homme que France est seulement partie à la salle de bain, il me dit qu'elle a quitté pour de bon.

Je le crois et je suis envahi par un sentiment violent d'inquiétude.

Je quitte à mon tour et je commence à chercher partout.

En sortant de l'auditorium, je suis à Paris.

J'entre dans toutes les toilettes des femmes et je crie son nom.

« *France ! France !?* »

Toutes les femmes qui sortent des toilettes me regardent, interrogatives.

Je suis paniqué. Je crie et j'espère toujours entendre l'écho de sa voix.

Rien n'y fait.

J'entre dans une toilette.

Dans cette toilette, il y a un effet miroir qui donne l'impression qu'il y a une énorme foule sur place.

Je pressens le pire. Je sens qu'il y a une bombe qui va bientôt exploser.

Je sue. Je suis énervé. J'ai la gorge sèche.

Devrais-je retourner à l'hôtel et l'attendre ?

234. Provocateurs de rêves

Je suis couché dans une chambre de chalet.

Félix, Francis et Simon sont aussi là. Pour provoquer des rêves, il y a derrière chacun de nos oreillers une petite boîte de bois. Il faut mettre dans cette boîte un animal de plastique d'à peu près 12 pouces. C'est le dynamisme de cet animal qui fera en sorte que les rêves seront plus ou moins intéressants.

Dans ma boîte, l'animal était totalement inefficace.

Je me suis levé et j'ai changé mon animal.

Il y avait un bœuf vert dans le placard.

Je l'ai pris et ça a bien fonctionné.

Le petit bœuf vert en plastique était vivant et très actif, il est même sorti de la boîte. Pour y revenir quelques secondes plus tard, de peine et de misère.

Ailleurs sur une plage, Pierre Rodrigue se vante que c'est lui qui loue les petits animaux de plastique à Zone 3.

« Je leur ai vendu ça 40 dollars. »

Puis il éclate de rire.

Soixante-huitième nuit

MERCREDI 26 JANVIER 2005

235. Où est l'auto de ma tante ?

J'ai emprunté l'auto beige de ma tante Janette.

Je me rends à l'Île-des-Sœurs pour rejoindre, en cachette, mon vieux chum Crête dans un condo.

J'ai distraitement stationné l'auto non loin du complexe des condos.

En entrant dans l'édifice, je laisse les clefs à un monsieur et à une madame qui semblent être les concierges.

Les clefs de ma maison au monsieur, les clefs de l'auto à la dame.

J'ai ensuite réalisé que je ne connaissais pas le numéro du logement de Crête et je suis retourné pour voir dans la voiture.

Le monsieur et la madame n'ont pas voulu me remettre les clefs.

Ils pensent que je suis un voleur d'auto.

Je dis à la dame d'appeler la police si elle se méfiait de quoi que ce soit.

Pour lui prouver mon honnêteté, je lui ai donné l'adresse de ma tante, écrite sur le porte-clefs. Elle vérifie et me remet mes clefs.

Alors, je cherche la voiture. Je ne me souviens pas du tout où je l'ai stationnée. Rien à gauche, rien à droite.

Je passe tout près d'un petit centre commercial.

Il me semble entendre Normand Brathwaite crier.

Il sort d'un restaurant avec une commande de sushis.

Je n'ai pas le temps de socialiser, je cherche l'auto beige de ma tante.

Je ne vois rien.

Je vois un groupe d'Hindous laver deux Rolls Royce, mais aucune trace de l'auto beige.

Shit de *shit*. Encore une autre voiture de perdue.

Qu'est-ce qui se passe avec moi?

236. Une morte dans *Les Grandes Gueules*

Ma sœur Danielle arrive dans mon studio radio avec une bouteille de whisky. Je l'ouvre pour humer le parfum et suis incapable de la refermer.

Le bouchon est tout décrissé.

Je la remercie, mais je n'ai pas le temps de lui parler. Je suis en attente à mon micro pour une nouvelle chronique dans un bulletin de nouvelles. Une chronique sur l'état des pelouses, dans *Les Grandes Gueules*.

C'est Danielle qui doit brancher mon micro au bon moment, afin d'éviter les retours de son.

Les Grandes Gueules sont au téléphone avec une madame et n'arrêtent pas de faire des jeux de mots sur les maladies. Ils ridiculisent la madame.

Plein de jeux de mots cons.
« *Vous vous êtes brisé un os-pital, madame ?*
— *Hahahaha.* »
Ils ne réalisent pas que l'auditrice dont ils se moquent est très malade.
Tellement qu'elle meurt en ondes.
Il y a un silence et un malaise.
Ils reviennent en ondes et se confondent en excuses.
Tellement mal à l'aise et absorbés par leur gaffe, ils n'ont jamais pensé à me présenter.
Je suis resté là, en plan.

237. J'ai tout perdu

Je suis à l'ordinateur. Accidentellement, j'appuie trois fois de suite sur « *Enter* ». Résultat : tout le contenu de mon disque dur disparaît. L'ordinateur ne montre plus rien.
Je panique.
Trois spécialistes entrent chez moi au même moment et discutent. Ils s'entendent pour changer une lampe dans le moniteur.
Je réalise que ce sont trois spécialistes de la réparation de télévision et non d'informatique.
Il faut laisser l'ordinateur fermé pendant deux heures avant de le redémarrer. Ce que je fais.
Je me croise les doigts.
Merde. Tout ce qui apparaît, ce sont des extraits de films de *Tintin*.
J'ai juste le goût de pleurer.

238. Est-ce bien Gildor ?

Je travaille à la radio.
Hier, j'ai fait une entrevue. Nous étions deux à poser des questions. J'étais avec Ginette Reno.
Le monsieur que nous avons interviewé était très bizarre.
Après l'entrevue, l'assistant d'André Furlatte a réécouté et en a extrait des dizaines de phrases sans queue ni tête, des phrases serviront à la mise en ondes de l'émission de Pierre Pagé.
Furlatte est écroulé de rire.

Comme d'habitude, j'arrive deux heures avant le début de mon émission.

Ma patronne, hybride entre Claire Lamarche et Diane England, m'ordonne de me coucher encore une heure avant de commencer à faire quoi que ce soit. Elle estime que je suis arrivé trop tôt et que ce n'est pas souhaitable.

Puisqu'elle insiste, je vais dans un lit dans un coin de la station, même si je n'ai pas du tout le goût de dormir.

Elle s'amène près de la porte de cet endroit et dépose sur le sol un paquet de clefs, chacune des clefs vient avec un petit porte-clefs jaune en plastique.

« Quand tu te relèveras, tu m'apporteras mes clefs. »

Je me lève tout de suite, je prends les clefs et je lui lance une remarque qu'elle a considérée désobligeante, mais qui ne l'était pas.

Question de faire la paix, nous sommes allés prendre une marche dehors.

En marchant, j'entends une voix derrière moi, il me semble la reconnaître.

Je me retourne et je vois que le type ressemble étrangement à Gildor Roy, en plus mince. Il est avec deux jeunes femmes. Ils discutent business et semblent aller en *meeting*. Ils marchent plus vite que nous et nous dépassent sur le trottoir.

Je prends une chance.

« Gildor ? »

C'est bien lui.

Nous expliquons à nos compagnes que ça fait trois, quatre ans qu'on ne s'est pas parlé. Je suis très content de le revoir. Je lui dis :

« Gildor, j'ai une phrase à te dire qui se termine par un point d'interrogation. Es-tu prêt ?

— Oui.

— Est-ce qu'on a eu une bonne série Yankees-Red Sox, oui ou non ? »

Juste à lui poser la question, j'ai des frissons dans le dos. Il me répond du tac au tac.

«*Christian. J'ai 400 heures de baseball sur cassettes à la maison, dans un "certain appartement"...*»

Il me fait un clin d'œil.

Fin de la conversation.

NOUVEAUX PERSONNAGES

Tintin
Personnage de bande dessinée, héros de mon enfance.

Claire Lamarche
Animatrice. Maternelle. Sympathique.

Gildor Roy
Acteur, animateur, chanteur. Longtemps un ami.

Soixante-neuvième nuit

JEUDI 27 JANVIER 2005

239. Grève au cégep

Je suis étudiant au cégep.

Il y a une grève des professeurs.

Il y a assemblée générale. Des étudiants et quelques journalistes sont dans une grande salle. Je me lève et je prends la parole.

Je fais un discours. Je ne sais pas ce qui m'a animé, mais mon discours est spectaculaire et percutant, une envolée oratoire mémorable. Tout le monde est assommé, je fais un parallèle entre la grève des professeurs et le lock-out dans la LNH.

«*Nous sommes acculés au pied du mur! Nous gaspillons une année de vie complète à cause de vos caprices! C'est révoltant!*»

Je suis fier de moi.

Après mon discours, je vais savourer mon triomphe et recevoir les compliments des étudiants dans une salle où il y a plusieurs tables de billard penchées.

Dès qu'on dépose une boule sur le tapis d'une table, la boule roule jusqu'au bout de la table et bondit férocement sur la bande. Elle part dans un mouvement de va-et-vient de plus en plus rapide et est projetée dangereusement à l'extérieur de la table.

Je discute avec Luc Tremblay en croquant des céleris.

Luc, qui est dans le conseil étudiant, me dit qu'il faut se méfier de cet individu, au nom connu, qui nous envoie des courriels.

« Fais attention à lui, Chris, c'est un mercenaire de l'éducation. Un dangereux. »

240. Leonardo di Caprio

Il y a Alain Choquette et Leonardo di Caprio là-bas qui font de l'escrime devant quelques personnes. Je vais les retrouver.

En me voyant, Leonardo cesse d'escrimer et commence à me parler dans un faux français.

Il m'impressionne.

Il ne dit pas un mot de français mais me parle en *« gibberish »*. Les sons qui sortent de sa bouche sont parfaitement français. L'accent est parfait.

C'est hallucinant et je suis tordu de rire.

Voyant que j'apprécie son spectacle, Leonardo se met à grimper sur les murs, en faisant comme s'il était un metteur en scène en train d'expliquer aux acteurs la scène qu'il veut tourner.

Il grimpe et grimpe sur les murs, en hurlant ses indications en faux français.

Je suggère à Alain Choquette d'essayer de suivre Leonardo. Ça ne lui tente pas.

Ma tante Monique est avec moi et demande aussi à Alain d'y aller.

Inutile, Alain refuse.

241. Au Salon du plâtre

Je suis au Salon du plâtre à la Place Bonaventure.

Michel Champagne est dans une salle de presse et fait une sortie en règle contre les néolibéraux qui ont pris le pouvoir.

« *Depuis qu'ils sont au pouvoir, ces crosseurs-là, c'est juste les plâtriers aux cheveux longs qui perdent leur emploi. Moi, quand j'étais jeune, j'en posais du plâtre. Et tous ceux qui faisaient du plâtre avaient les cheveux longs jusqu'au scrotum !* »

Tout le monde rit autour de lui.

Je suis près de la porte, avec France, Francis et Simon, et je l'écoute.

On veut quitter.

Je suis mal à l'aise d'être là, parce que Michel est fâché. Il dit qu'il m'a rencontré la semaine dernière au même endroit et que j'avais prétendu être trop pressé pour lui parler.

Ce qui est vrai, mais j'avais une excuse. Je devais aller chercher Mitsou et Iohann à l'entrée du Salon.

Michel nous présente son fils qui lui ressemble comme deux gouttes d'eau.

Guy Mongrain est témoin et trouve la ressemblance entre Michel et son fils très drôle.

NOUVEAUX PERSONNAGES

Leonardo Di Caprio
Acteur américain, *The Aviator, Titanic.*

Tante Monique Hénault
Grande amie de ma tante Yolande. Je la connais depuis l'enfance.

Michel Champagne
Ancien journaliste aux sports TVA.

Soixante-dixième nuit
VENDREDI 28 JANVIER 2005

242. La recherchiste n'a pas rappelé
Un haut dirigeant de TVA appelle à la maison alors que je m'apprête à partir en auto. Francis prend l'appel et tente de se faire passer pour moi. Il ne pense pas que c'est une

bonne idée que je lui parle, il craint que j'engueule le type.
Je lui arrache le téléphone.
Je dis au monsieur que la recherchiste de Jocelyne Cazin était censée me rappeler et qu'elle ne l'a pas fait. Je lui ai dit que je n'avais pas l'intention d'aller à l'émission de Jocelyne.
Il m'a offert un gros cachet, j'ai dit non.
Il pense que c'est la faute de la recherchiste.
Je lui dis que ce n'est pas le cas.
« C'est une décision personnelle, basée sur mon visage qui enfle et vieillit. »
Il est déçu, mais juste avant de raccrocher, il me dit qu'il est quand même intéressé à jouer au golf avec moi et qu'il a adoré l'émission *Chasse à l'homme*.
Pendant toute cette conversation, Jocelyne (ma sœur) était à côté de moi, avec les larmes aux yeux. Je sentais qu'elle avait une mauvaise nouvelle à m'apprendre.
« Qu'est-ce qu'il y a, Jocelyne ?
— Mireille fait de la fièvre. »
J'ai trouvé qu'elle avait la déprime facile.

243. Le plancher d'abord
Martin Leclerc voudrait bien inviter France à sa première émission à RDS.
Malheureusement, ça tombe mal, France doit cirer le plancher de notre chambre. De belles lattes de chêne foncé.

NOUVEAUX PERSONNAGES
Jocelyne Cazin
Animatrice à TVA.
Mireille Gélinas
La fille de mes amis Philo et Suzanne, ma filleule.
Martin Leclerc
Journaliste brillant au *Journal de Montréal*.

Soixante et onzième nuit

244. Howard Hughes
France, Simon et moi sommes attablés pour bouffer dans une salle à dîner d'hôtel, invités de Howard Hugues. Le souper vient de nous être servi. Une soupe crémeuse au céleri et des fettucine avec sauce bolognese.
Nous avons finalement décidé de ne pas attendre Francis. Juste comme nous portons notre cuiller à la bouche, le voici qui arrive.
Il est en habit beige et cravate. Il a son ordinateur portable et les cheveux très courts. Il a l'air soucieux.
Il regarde dans le carrosse de bébé juste à côté de la table et constate qu'il est rempli de soupe au céleri, il s'adresse au sympathique serveur.
« Je vais prendre une soupe. »

245. Howard Hugues, deuxième partie
Mon frère Alain et moi sommes les bras droits d'Howard Hugues.
Nous sommes venus chercher quelque chose à l'édifice d'Hydro Québec, au bureau du grand patron et propriétaire.
L'édifice est comme un château avec une immense salle de bal et plein d'escaliers larges en marbre.
Alain et moi sommes respectés, craints et impressionnants. Nous sommes en habit.
Quand on porte un habit, pensai-je, ça multiplie le respect dans le regard de l'autre. Je l'ai réalisé juste à temps et je me suis changé. Sauf que le haut de mon habit est noir, et le bas est brun très foncé. J'étais dans la lune. Il y a une chance que personne ne voit ma bourde.
Le truc, c'est d'avoir le regard intense. Les gens me regarderont dans les yeux et ne verront pas mes culottes dépareillées.

Il y a distribution de plaques dans la salle de bal.

François Pérusse et Martin Petit y sont. Martin est habillé comme un clown pour essayer d'être drôle et je vais lui dire que ça ne marche pas.

« C'est plate, ton estie de joke, le grand. Pas drôle. »

Il est frustré et devient agressif.

« T'es qui toi ? T'as fait quoi toi ? »

Je le confronte quand même, pas du tout ébranlé par ses propos.

« T'es plate, Petit. Comprends-tu ça ?! T'es plate. C'est du vieux stock usé, ton affaire. »

François Pérusse me dit qu'il est convaincu que la finale de sa nouvelle capsule est mauvaise. Il me demande de le suivre. Il veut me la faire entendre.

Nous allons dans une salle d'écoute où toute la famille de François, des snobs finis, attend.

Sa mère, une marâtre, ne supporte pas que quelqu'un d'autre entende les capsules de François.

« Ça reste dans la famille. »

Il s'en crisse et m'accorde le passe-droit. Il a besoin de mon opinion.

J'écoute la finale et je la trouve excellente.

Il me dit que j'ai tort.

« T'es dans le champ. C'est plate en estie. »

Alain et moi sommes dans deux escaliers différents.

Quelqu'un nous demande d'aller chercher notre plaque. Des plaques de verre, avec le nom du gagnant sculpté en relief.

Nous nous rendons sur scène et la dame qui s'occupe de la distribution des plaques ne trouve plus la nôtre.

Elle dit que nous avons mal entendu.

« Impossible, on était même pas ensemble ! »

La dame réalise que nous avons raison.

« Ce n'est pas grave, nous allons la retrouver et vous la donner à la fin de la soirée. »

Faut se presser. On doit aller chercher de l'argent pour M. Hugues, dans le grand bureau.

246. *Incident à Bois-des-Filion*

Je suis habillé en blanc et je me balade en voiture dans les rues d'un quartier huppé de Bois-des-Filion.

J'ai un briquet Bic et je respire des bouffées de gaz butane et ça me fait du bien.

Je vois devant moi une voiture de police.

Au début, ça me stresse, puis je réalise que respirer du butane n'a rien d'illégal et je me calme.

Je vois que la voiture de police devant est immobilisée juste à côté d'un gros tas de sable carré qui vient d'émerger du sol, du côté ouest de la rue.

Le voisinage est inquiet.

C'est étrange en effet. Le contraire d'un glissement de terrain. Un gros bouton carré vient de pousser sur la surface du globe.

Je passe à côté. Le policier discute avec un type.

La terre a accouché de cette excroissance bizarre juste en face du pauvre homme, dévasté.

Je poursuis ma route jusqu'à un petit terrain de jeux où il y a une plaque tournante sur laquelle les enfants (les petits et les grands) peuvent jouer à s'étourdir.

Quand la plaque tournante cesse de tourner, la rampe tout autour continue, elle, de tourner, de sorte que pour embarquer ou débarquer de la roue, il faut se pencher, sinon on se fait arracher la tête.

Ça fait juste partie de la *game*.

Je vais faire un tour, je m'amuse un peu, je débarque prudemment et je retourne chez moi. J'ai encore ma tête. J'ai donc bien joué.

247. Un gros débile

C'est le matin.

Je descends à la cave et je vois un chien qui ne m'appartient pas.

Un berger anglais sale. Il est énorme et n'est pas du tout méchant. Je n'ai aucune idée comment il est entré ici, je le chasse.

Mais voici que Joséphine, devenue un colley, court après l'autre chien pour jouer. Je ne veux pas que Jos se sauve. Je lui crie de revenir. Elle revient.

Je rencontre un grand et gros gars dans la trentaine. Il a l'air dangereux, débile avancé.
Il me dit qu'il a passé la nuit chez moi, avec preuve à l'appui.
Il est entré chez nous avec son chien et a passé la nuit dans la cave.
Il me nargue.
Je veux savoir qui l'a laissé entrer. Je soupçonne un de mes fils.
« Personne, je suis entré tout seul, j'ai dormi. Point. »
Je suis dans tous mes états. Complètement ahuri.
Je demande à François Roy s'il y a des recours contre ça.
« Pas à la première offense. »
Il fait beau et soudainement il se met à neiger.
Nous sommes sous un toit.
Je dois savoir comment s'appelle le gars qui refuse de s'identifier.
Je vais fouiller dans la poche arrière droite de ses jeans. Il y a plein de papiers bizarres chiffonnés, et un passeport de l'Expo 67 de Montréal.
Il s'appelle Géro Arseno.

NOUVEAU PERSONNAGE
Howard Hughes
Sujet du film *The Aviator*. Milliardaire très bizarre.

Soixante-douzième nuit
DIMANCHE 30 JANVIER 2005

248. Phrase perdue
« Pomper un œuf créatif. »
Qu'est-ce que ça veut dire ?

249. Fausses absences

Luc Tremblay a un dossier en main.

Il m'approche et me demande de justifier mon absence de vendredi dernier.

« Tu n'étais pas là mardi. Tu n'y étais pas non plus, vendredi. Vilaine habitude. »

Je suis bouche bée.

Je sais que ce n'est pas vrai, je sais qu'il y a erreur, mais je suis incapable de le dire ou de le prouver.

Je bafouille.

250. Francis est zélé

Tout près du bureau du médecin, boulevard Labelle à Saint-Martin, Francis et moi sommes assis sur le bord d'une fenêtre d'un demi-sous-sol public.

Francis est habillé propre et bien peigné.

De l'autre côté de la rue, en haut à droite, il y a un gymnase municipal.

Cinq cols bleus sont occupés à faire le tour de tous les parcs et gymnases pour ramasser les déchets et les objets perdus.

Un type descend du gymnase et s'apprête à aller porter une chaudière pleine de rondelles qu'il a ramassées.

Francis se lève et offre d'aller les porter à sa place, en transportant aussi un autre bac plus gros.

Il doit sauter avec sa chaudière et son gros bac, en bas d'une plate-forme. Il doit porter le tout au camion, et revenir.

Il veut aider.

« Je suis sûr qu'il y a autre chose en haut. Je m'en occupe. »

Les cols bleus le trouvent zélé et ils l'agacent, sans méchanceté.

Francis est un peu intimidé.

Mais il se sent aimé.

251. Cirque et maladie

Je travaille dans un cirque.

Voici mon numéro.

Je suis dans une classe, habillé d'un sarrau blanc, comme un professeur. Les gens devant moi sont tous vieux et malades. Chacun leur tour, ils se lèvent et je devine leur maladie.

La dame se lève et je vais écrire sa maladie au tableau noir, sous les applaudissements.

Quand je me trompe, un ours noir va au tableau, efface mon erreur et écrit la bonne maladie.

C'est mon assistant.

Soixante-treizième nuit

LUNDI 31 JANVIER 2005

252. Ouragan et thermopompe

Je me promène dans la maison, de haut en bas et de bas en haut.

J'attends qu'il soit 22 h 50, l'heure de mon dodo.

Mon beau-frère Jean-François est avec moi.

On a cru constater que quelque chose n'allait pas avec la thermopompe.

Un côté de celle-ci a été arraché et on voit qu'il y traîne des grandes feuilles de papier chiffonnées sur lesquelles il y a des écritures non déchiffrables et des dessins au crayon noir.

Soudainement, un vent se lève dans la thermopompe, un souffle d'ouragan extrêmement puissant qui nous projette et nous colle sur le mur de béton, en face.

Terrible sensation.

Le vent vient aussi de la chambre froide.

Comme une manifestation du diable.

Jean-François est terrassé par la peur. Moi aussi.

Tout ce que j'ai en tête, c'est d'aller voir dehors s'il vente.

Est-ce un courant d'air ou le diable?

253. Les escaliers de TVA

Je suis dans une arène de boxe, au 10e étage de TVA, on y a disposé bureaux et chaises. Mario Clément se demande quel est mon secret.

Comment j'arrive toujours à savoir avant tout le monde qui fera quoi à la télévision dans les semaines et les mois qui viennent ?

Je connais tous les projets de Radio-Canada.

Je sais ce qui se passera avec Denise Bombardier et Michel Barrette, par exemple.

« Ça veut dire que tu es dans les hautes sphères, mon Christian. Et pour ça, je te respecte. »

Je descends les 10 étages dans l'escalier de TVA, avec France.

Je tiens une casserole avec de l'eau qui bouille. Dans la casserole, il y a des fleurs comestibles.

Au septième étage, je m'arrête pour demander à un homme d'allumer le cure-dent que j'ai entre les lèvres. Je veux le fumer. L'homme est un directeur du département des ventes, tout bien cravaté. France ne m'attend pas et continue, elle a peur de rater l'autobus.

Dans les escaliers, j'entends un technicien de TVA qui me chiale après. Il a un ton badin et pas sérieux.

Il veut avoir du feu aussi pour allumer son cure-dent.

Je l'attends pour lui en donner. Je remarque qu'il transporte des pains. Trois pains. TVA a ouvert une boulangerie exclusivement réservée aux syndiqués.

J'ai perdu France de vue.

J'accélère le pas. Je dois la retrouver.

A-t-elle fait le tour de la bâtisse, ou a-t-elle pris le raccourci ?

Par mesure de prudence, je fais le tour de l'édifice. Elle n'y est pas.

Je la vois apparaître au loin, dans son manteau bleu pâle, elle court vers moi sur la glace. Elle me fait des grands signes, l'autobus part dans une minute. On n'a pas beaucoup de temps.

254. Tuque jaune

C'est l'hiver.

Il y a un petit attroupement. Des gars du baseball de Sainte-Thérèse. Martin Fiset, Pierre Limoges, ses fils Alexandre et Jean-François.

J'arrive avec ma tuque jaune sur la tête. Celle qui a des tresses.

Je les avertis.

« Les gars, va falloir que vous vous habituiez : c'est ça que je me mets sur la tête, l'hiver. Ça et rien d'autre. »

255. Dans le gymnase

Matthieu Roy joue une partie de basket-ball extrême.

Un match d'une violence inouïe. Comme un match de football, sans protection. C'est un nouveau sport.

Dans le même gymnase, un petit garçon japonais est en larmes.

Il a prêté un ballon de football blanc à d'autres petits garçons qui l'ont crevé.

Il est passé par une porte dans le gymnase pour le donner à quelqu'un, pour réparation. On voit la porte s'ouvrir.

Un vieux sage chinois en sort avec le ballon réparé.

Y'a rien comme un vieux sage chinois pour réparer un ballon mou.

NOUVEAUX PERSONNAGES

Jean-François Paquin
Mon beau-frère, le mari de Jocelyne. Altruiste, original. Homme à tout faire.

Denise Bombardier
Journaliste animatrice.

Pierre Limoges
Papa de J.-F., l'entraîneur de Francis, homme discret, ancien prof.

Alexandre Limoges
Arbitre de baseball, docteur en littérature française. Université Yale.

Jean François Limoges
Jeune entraîneur de Francis, il aime gagner. Bon *jack*.

Soixante-quatorzième nuit
MARDI 1er FÉVRIER 2005

256. Accident
Le décor est très champêtre, dans la vaste cour du Noviciat
des Pères Blancs.
Une fin de journée d'été, il fait beau et chaud.
Avec Pierre Ouimet et Marilou Robert, je suis au bord
d'une vaste piscine creusée à même la nature, avec des
rocailles et des plantes. De la pelouse et des arbres matures.
Marilou a oublié son costume de bain.
Elle a gardé son tee-shirt et a fabriqué une culotte avec un
bout de tissu rose et transparent. Des retailles de rideaux.
Il y a plein de personnes dans la piscine. Ils y sont pour des
raisons thérapeutiques. Ils font des exercices.
Je sais que je n'ai pas beaucoup de temps, mais j'ai le goût
de plonger.
Sous les encouragements de Pierre Ouimet, je descends les
marches fabriquées avec de très grosses pierres. Je suis
pressé parce que je dois faire mon commentaire dans *Les
Grandes Gueules*. J'y saute et j'en ressors tout de suite.
Une voiture m'attend. Le conducteur est Paul Arcand.
Je m'assois devant, côté passager. Derrière : Mario Tessier et
José Gaudet.
Paul a le contrôle de la radio et change de poste
continuellement. À chaque fois qu'il syntonise une nouvelle
station, il se tourne et cherche l'approbation des deux
comiques, derrière.
Il roule très vite dans un corridor d'école. Juste comme
nous arrivons au bout d'un corridor, Paul est tourné et je
vois le mur arriver.
Je crie à pleins poumons, trop tard.

L'auto se fracasse contre le mur, de mon côté. Je sors et je ne souffre pas beaucoup, je pense m'en être sorti indemne jusqu'à ce que je voie ma chemise. Elle est complètement imbibée de sang.

Je saigne comme un cochon et je ne sais pas d'où vient le sang.

Mon cou ? Mon estomac ? Un bras ?

Je n'ai mal nulle part.

Je suis catastrophé et j'ai peur.

Les trois autres gars sont trop nerveux pour appeler 911.

Je prends un cellulaire pour composer 911 et c'est France qui répond.

Je lui raconte.

« J'ai eu un accident, je suis plein de sang ! »

Mais elle ne pleure pas à cause mon accident, elle pleure parce que quelques amis de Francis sont « sous enquête ». Elle craint que Francis ne soit impliqué dans un mauvais coup quelconque.

257. L'homme éléphant et la jeune prostituée

Dans un sous-sol de bungalow, il y a un *meeting* avec des membres d'une organisation que je ne connais pas.

J'ai été invité et je ne sais pas de quoi il sera question.

Une jeune fille prostituée arrive et commence à baiser avec un homme.

L'homme est un véritable monstre. Il ressemble à l'homme éléphant.

La jeune fille baise avec lui quand même, sur un sofa.

Je suis catastrophé et je me trouve une raison pour me sauver.

258. Couteau

Gildor ressemble-t-il à un couteau ?

Si je le lance dans les airs, plante-t-il automatiquement dans le sol ?

Si je le lance vers l'avant, plante-t-il automatiquement dans le mur ?

Le poids de la lame fait-il en sorte qu'il plante tout le temps ?
Estie de question.

NOUVEAUX PERSONNAGES

Pierre Ouimet
Ex-collègue de travail à la radio de CKMF, fou raide.
Réalisateur et scripteur TV.

Marilou Robert
Adjointe à la programmation d'Énergie.

Paul Arcand
Animateur du matin depuis toujours. Il est au 98,5.

Soixante-quinzième nuit
MERCREDI 2 FÉVRIER 2005

259. Rendez-vous nocturne dans le lit
Dans la nuit de samedi à dimanche.
Les murs de la maison vide sont blancs. Aucune décoration, pas beaucoup de meubles, comme si on venait d'emménager.
Je dormais au sous-sol quand je me suis réveillé au milieu de la nuit. J'ai pris ma couette et mon oreiller et je suis allé dans ma chambre, à l'étage.
Je me suis couché sur le lit, en diagonale.
Il n'y a pas de drap sur le lit.
France, qui est dans une autre chambre à côté, s'aperçoit de mon déplacement. Elle aussi prend ses couvertes et son oreiller et vient me retrouver. Elle se couche dans le bon sens.

260. Marie est à Sainte-Dorothée
On s'ennuie trop de Marie.
Je décide d'aller la chercher à Sainte-Dorothée.
J'y vais avec Maude, la femme de Chico, dans sa vieille Volkswagen Jetta rouillée. Simon est aussi dans l'auto.

Marie est chez les parents de Maude.

Quand elle me voit, Marie est illuminée. Très joyeuse. Contente.

Elle sent bon.

Elle a un petit pyjama à pattes, sur lequel Maude a cousu une toute petite feuille de papier, qu'elle a, au préalable, transformée en tissu.

Sur ce petit carré de tissu, il y a des dessins de Marie. Des petites caricatures avec le nom des personnages.

Parmi eux, il y a Normand Brathwaite. Et d'autres que je ne peux pas identifier.

Simon trouve que la ressemblance est frappante.

Il est impressionné par le talent de la petite.

Pour revenir chez nous, il n'y a pas de place pour moi dans la Jetta.

Maude doit ramener ses trois enfants, plus Marie, plus Simon et plus Chico, qui était dans la cour de la maison de ses beaux-parents.

« *Ce n'est pas grave, je reviendrai sur mon vieux vélomoteur mauve.* »

Je vais voir Chico dans la cour et je lui demande où est l'autoroute 13.

Il me la pointe du doigt.

Il était occupé à laver le plat de Joséphine dans le ruisseau très étroit qui coule dans la cour.

En se retournant vers moi, le plat lui est glissé des doigts et est tombé dans le ruisseau. Le plat est dans le courant de l'eau, et se dirige vers une cascade, une chute de trois ou quatre pieds. Chico se met à courir, dévale une pente à toute vitesse.

J'ai peur qu'il ne parvienne pas à rattraper le plat et ça me fait paniquer.

Juste avant qu'il ne disparaisse hors de portée, il le rattrape. *Yessss*!

J'ai eu chaud.

261. Odeur
Ça sent les petits gâteaux qui cuisent.

262. Crise humanitaire
La tristesse de l'Humanité, au Darfour Laval.

263. Au marché aux puces
Je suis attablé avec Vincent Leduc et d'autres dans un marché aux puces. C'est très achalandé. Des gens qui marchent dans tous les sens.

Un peu plus loin, dans l'indifférence totale, François Parenteau chante une chanson en s'accompagnant à la guitare.

Je me lève pour aller le saluer. Je l'aime bien ce garçon.

Il me demande si je suis en reportage.

« Es-tu sur la job ? T'es habillé en marché aux puces. »

Pourtant, je suis habillé comme toujours. Pantalons noirs et tee-shirt blanc. Je pense qu'il a dû faire une blague.

Deux femmes entrent et passent près de nous.

Une première qui doit avoir 50 ans : elle est enceinte.

L'autre est une de mes amies lesbiennes du restaurant Miyako.

Il y a une garderie au marché aux puces.

Le type qui s'occupe des enfants à cette garderie se fait appeler maman.

Il n'est pourtant pas du tout efféminé. Il a des faux cils fabriqués avec des retailles de crayons de couleur, de ces résidus qu'on retrouve quand on les aiguise avec un aiguisoir d'enfant.

Non loin de là, une dame anglophone, visiblement très riche, prend un thé. Elle mesure 6 pieds 3 pouces, porte un chic petit chapeau, est pleine de bijoux et est toute bronzée.

NOUVEAU PERSONNAGE

Maude Loiselle
La femme de Chico. Une France plus jeune. Belle, brillante et solide. Maman de Lili, d'Émi et de Thomas.

Soixante-seizième nuit

264. Tournages sur le bord d'un lac

Pour mousser la candidature de Montréal pour les Jeux Olympiques, on procède à un tournage promotionnel.

Cinq athlètes féminines, dont Caroline Brunet, sortent d'un lac en marchant, les unes derrière les autres.

L'eau du lac est très froide, mais les filles n'ont pas l'air d'en souffrir.

En marchant, elles chantent le nom de la Ville de Montréal.

Comme elles rient trop, on est obligé de recommencer plusieurs fois.

Sur le bord du même lac, dans un hôtel, il y a un *meeting* de production de *Et Dieu créa... Laflaque*.

Chapleau m'explique qu'on fera un nouveau gag.

Gérard D. se cachera derrière un poteau de tête de lit, dont le bout est une sphère. En animation, il se fondra et deviendra lui-même le poteau du lit.

Je ne comprends pas le gag.

Il me l'a expliqué trois fois, et j'ai fini par comprendre.

Serge a demandé aux cinq filles athlètes de participer au gag, mais elles refusent, trop épuisées.

Sol apporte un lunch à l'équipe de création de *Laflaque*.

Il sort de ses poches des sandwiches au jambon en forme de boules.

J'ai faim et je veux autre chose.

265. Henri et Lucien

Je suis dans une halte routière des Alpes en France.

Derrière moi, il y a une fourgonnette Westphalia de Volkswagen, et deux vieux couples. Henri Salvador et Lucien Jarraud, avec leurs femmes.

Jarraud me confie que Salvador est un de ses meilleurs amis à vie.

Je ne le crois pas parce que je sais qu'il a toujours eu une petite tendance à la mythomanie.

Henri me fait visiter son véhicule et me montre une édition du *Paris Match* dans lequel il y a un reportage photographique de son dernier voyage dans les îles de Polynésie. Les photos sont magnifiques.

C'est là qu'il a enregistré son album *Chambre avec vue*.

Il me présente sa femme, une Québécoise dans la quarantaine qu'il appelle affectueusement « ma petite quétaine ».

« M. Salvador, je regarde ces belles photos. Avec la vie que vous menez, vous seriez malvenu de vous plaindre de vos petits bobos ! »

En entendant ma remarque, les quatre se sont mis à rire. C'est que le vieux Salvador ne cesse de se plaindre de ses bobos.

Assis derrière sa fourgonnette, pour me faire plaisir, Salvador me chante une chanson de son dernier album. Jarraud connaît par cœur les paroles de la chanson et la chante en même temps que lui, ce qui me tape sur les nerfs. Je ne sais pas ce qui me retient de lui dire de fermer sa gueule.

266. Erreur sur la personne

Je suis à Saint-Jean-sur-Richelieu.

Il devait y avoir un spectacle, mais il a été annulé parce que le promoteur s'est suicidé. Furlatte me l'apprend.

Au moment où il me le dit, j'ai commencé à me faire la barbe avec un rasoir genre « pioche », dans une immense salle de bain circulaire où il y a plusieurs dizaines de lavabos.

Furlatte y est lui aussi pour se raser.

Pendant qu'il me raconte l'affaire du suicide, la salle de bain se remplit de gars qui viennent se raser. On n'y voit plus rien. Les miroirs sont tous embués.

Je me félicite de la bonne idée d'arriver avant tout le monde.

Dans la salle de spectacle, Richard Turcotte est seul sur un gros char allégorique, habillé en joueur de hockey. C'est un excellent joueur de hockey.

Il me dit que, plus tard, il portera le chandail numéro 33 des Expos. C'est le chandail de Larry Walker.

Il y a un kiosque-restaurant, tenu par une dame dans la cinquantaine et son fils dans la vingtaine. On y vend des petits morceaux de papier de différentes couleurs et saveurs.

Ces papiers se vendent à un prix minimal de 25 sous, pas de prix maximal.

Les profits vont à un organisme de charité.

La dame et son fils sont très insistants auprès des passants, allant jusqu'à insulter ceux qui n'en prennent pas.

Je quitte Saint-Jean sur Richelieu, je suis dans ma voiture avec Crête.

Ma joue gauche est très enflée. Je demande à Crête de vérifier.

Il met son pouce dans ma bouche et mesure l'épaisseur de la joue.

Il n'en revient pas. Il se demande ce que j'ai.

Je suis inquiet.

D'où vient cette infection galopante.?

Nous avons encore 51 kilomètres à faire avant d'arriver à destination.

À CKAC, Martin Leclerc anime une émission de sports.

Je l'appelle au cellulaire pour lui demander s'il a un conseil pour ma joue.

Juste comme il s'apprête à répondre, il doit retourner en ondes.

Je suis dans une ruelle et j'arrive à un carrefour. Je tourne à gauche et je vois au bout de la rue un groupe de gars armés de bâtons, de pieds-de-biche.

Un d'eux, en voyant l'auto, crie.

« Les gars, v'là le "bacon" ! Le "bacon" est là ! »

Ils foncent vers moi. Je fais demi-tour.

Shit. De l'autre côté aussi, il y a une gang armée qui fonce vers moi.

Je n'ai pas d'argent.

Il y a erreur sur la personne.

Je suis certain d'être victime d'un guet-apens.
C'est une histoire de drogue. J'ai peur. Beaucoup.

267. Au lac Major

NOTE *Depuis qu'il a 12 ans, Simon a développé une relation très particulière et très intense avec son grand-père Jean-Marie. Et vice versa. Voilà deux hommes, un de 16 ans, un autre de 75, qui sont comme des frères. Ils partent tous les deux et chassent, pêchent, réparent des moteurs et mangent des hot-dogs à Saint-Jovite, en s'aimant comme seul un grand-père peut aimer son petit-fils, comme seul un petit-fils peut aimer son grand-père.*

C'est le printemps et il y a une très mince couche de glace sur le lac Major, au chalet de mon beau-père Jean-Marie. Simon revient de la pêche en chaloupe à moteur.
Il a un poisson au bout de sa ligne, mais ne l'a pas remonté. Je suis sur le quai. Il sort de la chaloupe et me demande de le remplacer pour remonter le poisson. Ce que je fais.
J'embarque dans la chaloupe et je commence à ramener le poisson avec le moulinet, mais je le fais à l'envers. Simon me dit que, si je continue, je ne remonterai jamais sa truite. En effet, la ligne se mêle à la glace et le poisson s'éloigne. La chaloupe dérive jusqu'à l'autre bout du lac et je ne peux rien faire.
Je parviens à le prendre avec la prise géante, mais je ne peux plus me servir de la chaloupe, le moteur est brisé. Je dois faire tout le tour du lac pour revenir au chalet. Joséphine, qui est avec moi, nage dans l'eau et la glace, et arrive avant moi.
Content d'avoir réussi à revenir au chalet, je montre le poisson à Jean-Marie qui n'est pas intéressé.
Il est beaucoup plus intéressé à construire, dans sa cour, un terrain de croquet, avec son frère Jean-Pierre.
Je n'ai pas vu Jean-Pierre depuis qu'il est mort.
Il vient à ma rencontre. Je ne me souvenais pas que c'était un homme si doux. Je lui demande comment il va.
« *Pas très bien.* »

268. Vieille photo d'un oncle inconnu

France et moi prenons nos cafés dans de nouvelles tasses modernes qui gardent le café chaud et qui sont très pesantes et complexes à utiliser.

Ce faisant, elle me montre dans un album, une photo d'un de ses oncles qu'elle n'a jamais connu.

Une vieille photo qui date des années 1940.

L'oncle s'appelle Christian Courteau, il a 20 ans.

« Tu ne trouves pas qu'il ressemble à Francis ? »

269. Nouvelle émission

Une nouvelle émission animée par André Robitaille.

Il y a un invité du public qui est plombier. Nous lui remettons une grosse clef anglaise et l'envoyons dans un coin du studio avec la directive de « faire quelque chose avec l'outil ».

Le gars est très bon.

À l'improviste, nous envoyons Éric Lucas le retrouver.

Ils font un sketch ensemble qui est très réussi. Lucas est un excellent acteur.

Le sketch se termine et André n'est pas prêt pour enchaîner le prochain numéro. Le réalisateur et l'équipe technique sont en panique et décident de passer tout de suite au prochain bloc : une portion de l'émission qui est toujours appréciée, *Le théâtre de marionnettes,* écrit, réalisé et interprété par Pierre Ouimet.

Le titre du segment :

« Les Aventures de François et de l'autre gars, là, t'sais. Sixième partie. »

NOUVEAUX PERSONNAGES

Sol
Vétéran clown québécois, création de Marc Favreau.

Henri Salvador
Vétéran chanteur français qui a eu une renaissance à 80 ans.

Lucien Jarraud
Vétéran animateur de radio.

Larry Walker
Vétéran joueur de baseball, ancien des Expos, avec les Cards.

Jean-Pierre Courteau
Frère de mon beau-père Jean-Marie, décédé il y a une dizaine d'années.

Soixante-dix-septième nuit
VENDREDI 4 FÉVRIER 2005

270. Nanci et la caméra en morceaux
Dans une salle d'attente très feutrée, à l'éclairage très tamisé, il y a Nanci Moretti. Elle me prend par le bras et me dit qu'elle n'en peut plus d'être la seule à veiller sur l'âme de son mari, mon ancien partenaire radio, Alain Montpetit. Nanci me reproche de ne pas comprendre les signaux qu'elle m'envoie et me donne un grand livre plein de photos.

Tout de suite après m'avoir remis le livre, elle s'étend par terre, derrière un gigantesque pot de fleurs, pour que je ne la voie pas.

J'ai la tête ailleurs, je suis préoccupé parce que je dois rapporter ma caméra vidéo à la maison et qu'elle est en six morceaux.

Je suis incapable de figurer comment la remonter.

Il y a un cameraman professionnel que je connais sur place, il s'offre pour me donner un coup de main, mais ses collègues de travail lui reprochent.

« Y'a un tournage. T'as pas de temps à perdre avec ça. »

271. Moi et les chiens
Mario Légaré, Marc Labrèche et moi sommes autour d'une table ronde et parlons de nos relations avec les chiens. Je parle.

« Je n'ai jamais compris pourquoi, mais les chiens sont attirés vers moi. Si je me trouve dans n'importe quel lieu et qu'un chien entre, immanquablement, il va venir me voir. »

Marc avait caché un chien sur lui, un chien au poil très raide en plastique multicolore. Dès qu'il le libère, il vient vers moi et fait des finesses.

« Qu'est-ce que je vous ai dit ? »

Fier de moi.

272. Jean Cournoyer

Congrès politique.

Une course à la chefferie d'un parti quelconque.

Jean Cournoyer y est à titre de conseiller principal et de scripteur d'un des candidats. Jean est accompagné d'un garde du corps immense.

En parlant du gorille, je demande à Jean si le gros le dérange.

« Si le gros te tape sur les nerfs, tu me le dis, j'en fais mon affaire. »

C'est une blague bien sûr. Le gars peut me manger trois fois.

D'ailleurs, il me regarde et me fait les gros yeux. Je ravale.

Jean me présente une fille dans la trentaine.

La fille le prend dans ses bras.

« Je te présente ma nouvelle femme, c'est la fille d'un ambassadeur africain. »

Pourtant, elle est blanche. Elle ressemble plus à une Italienne.

Elle dit qu'elle me connaît.

« Nous sommes allés dans un camp de vacances ensemble, il y a plusieurs années. Un camp qui s'appelait "Le Camp Fromage".

— Je ne suis jamais allé là, c'est sûr. »

Elle me montre une photo sur laquelle il y a une cinquantaine de jeunes campeurs. Elle me pointe sur la photo.

« Tiens, c'est toi, ça, non ?

— Malheureusement, non. Il me ressemble, mais ce n'est pas moi. »

La fille dit que Jean et moi avons tous les deux les oreilles très poilues.
Vous êtes comme des frères de poils.

Je dois signer un contrat UDA parce que j'ai une intervention à faire pour TVA. Jean me demande ce que je deviens, ce que je fais.
Je lui explique que je suis à l'écriture de deux livres. Je lui demande si son père est encore vivant, j'aurais aimé qu'il corrige mes livres, car c'est un expert de la langue française.
Il me demande ce que j'ai fait avec son téléphone cellulaire.
« Accusation gratuite, j'ai pas touché à ton téléphone, le vieux. Ton téléphone est pliable et le mien ne se plie pas. »
Il fouille dans ses poches et trouve son téléphone.
Il pensait qu'il m'avait demandé d'aller le « charger », mais non.
« Un jour, mon Cournoyer, je vais t'en crisser une. »

Je dois quitter le plancher.
Il y a foule. Dans la foule, une femme qui ressemble à Dominique Michel m'a vu. Cette dame me suit dans tous les congrès auxquels j'assiste.
Elle est amoureuse de moi en secret, puisqu'elle est mariée.
Je vois aussi son mari. Un barbu intellectuel.
Quand elle voit que je quitte par un escalier, hypocritement, elle me suit et met le revers de sa main sur mon dos, ce léger contact de 10 secondes lui fait le plus grand bien.

273. Jogging
Il y a une réunion dans une petite salle, toutes les chaises sont sur le bord des murs. Nous sommes une dizaine de personnes dont le maire de Huntington et François Roy. On discute jogging.
Un conférencier invité dit qu'il faut courir au moins 8 à 10 kilomètres.
« Moins que ça, c'est stupide. »

Le maire de Huntington se lève et se vante de courir tous les jours UN seul kilomètre. Je dis au conférencier qu'on vient d'avoir la preuve de ses déclarations. Tout le monde rit.

François vante les mérites d'un nouveau magazine masculin et il m'en passe une copie. Je le feuillette et je ne comprends pas qu'il qualifie de « masculin » un magazine exclusivement réservé à la mode et aux parfums.

« Pourquoi tu dis "masculin" ?
— À cause de la grosseur des seins. »

NOUVEAUX PERSONNAGES

Nanci Moretti
Italo-américaine, gentille, brillante, veuve d'Alain Montpetit.

Alain Montpetit
Animateur de grand talent, décédé il y a une dizaine d'années. Vie troublée. J'ai travaillé avec lui au début de sa carrière.

Jean Cournoyer
Ancien ministre de Robert Bourassa, j'ai travaillé quatre ans avec lui à la radio. Bonne personne.

Soixante-dix-huitième nuit
SAMEDI 5 FÉVRIER 2005

274. Rivière de glace
Simon et moi on joue au hockey sur une rivière glacée, longue et étroite.

On y rencontre Chris Chelios. La rivière est très longue et souvent inclinée dans le sens du courant. Chris joue avec nous.

Je parle à Simon, en secret.

« Regarde-moi bien aller, Simon… »

Je fonce vers Chelios, je freine sec, juste devant lui, je le regarde et je fais un visage enragé, voulant l'impressionner.

Il me répond avec une face deux fois pire que la mienne et c'est moi qui ai peur. Arroseur arrosé.
Je lui fais un sourire.

275. Le local des vieilles Chinoises

Pour quelques semaines, Pierre Pagé, Mario Tessier et moi habitons au 10e étage dans un local qui appartient à des vieilles Chinoises.
Des dames très discrètes qui ne parlent pas beaucoup.
Nous revenons de prendre une marche, François Roy est avec nous.
Juste avant d'arriver, je vais au téléphone public.
Le récepteur s'est transformé en microradio, je parle à une fille, conscient que la conversation est entendue en ondes.
Je lui pose quelques questions quiz un peu idiotes, et je termine la conversation en lui disant qu'elle doit rappeler la station avant la fin de la semaine.
Elle pense qu'elle a gagné quelque chose et elle est bouleversée de bonheur.
Je raccroche et je me sens *cheap*.
Je sais qu'elle n'a rien gagné. Je lui ai juste dit de rappeler la station parce que je ne savais pas quoi lui dire.

Pour arriver au local, nous devons passer à travers un jardin de bambous qui pousse juste devant la porte d'entrée.
Au moment où je passe à travers les bambous en tentant de ne pas en briser, Pierre me demande de quoi je vais parler à mon commentaire dans *Les Grandes Gueules*.
« *J'en ai aucune idée, je le sais pas.*
— *Tu devrais parler de Sammy Sosa. Ça marche, j'en ai parlé la semaine dernière et la semaine d'avant.* »
Pierre m'a remplacé au cours des deux dernières semaines.
François désapprouve l'idée de Pierre.
« *Y'a rien à dire sur Sammy Sosa.* »
Pierre y tient.
« *Il y a toujours quelque chose à dire sur Sammy Sosa.* »

214

François chante la chanson *Monster*, de Steppenwolf.

On la connaît par cœur tous les deux.

Juste devant la porte d'entrée jamais verrouillée de notre local, tout en haut du building d'une dizaine d'étages, il y a une vaste salle pleine de toutes sortes de choses.

Comme chez un brocanteur.

Une des Chinoises y est. Elle a un patin dans la main.

Vraisemblablement, à la recherche de l'autre de la paire.

Elle ne nous regarde pas.

J'ai oublié d'apporter de la bière.

Mais juste avant de tourner les talons pour aller en chercher, je me souviens : j'en ai deux sortes dans le frigo. Cinq bouteilles.

Il y a de la *Coke* et une autre sorte. Dans des bouteilles claires, pas brunes.

J'en offre une à François.

« *N'importe quelle sorte.* »

Il est même prêt à finir la moitié de bière qui n'a pas été bue dans une bouteille qui traîne sur le plancher.

Je lui donne une bouteille au hasard.

Mario Tessier a acheté des champignons en vinaigrette à mon insu.

Il les mange en les découpant en petits morceaux, devant la télévision.

Je suis mal dans ma peau, parce que j'ai oublié Joséphine dehors (ou je l'ai laissée là volontairement).

Je tente de l'appeler, mais notre local est trop haut pour qu'elle puisse entendre. Il me reste à espérer qu'au moins je l'ai laissée dans la bonne cour. Il y en a deux : une clôturée, l'autre pas.

Faut que je sois tombé sur la bonne.

Les Chinoises sont des femmes honnêtes.

Des femmes qui aiment sans dire je t'aime, dont les oreilles frisent juste à entendre merci. Depuis deux semaines, j'ai à peu près 80 dollars qui traînent éparpillés en billets de 5, de 10 et de 20, dans un tiroir tout près de mon lit. Je regarde

dans le tiroir et les billets sont tous là. Pourtant, je sais que les Chinoises sont venues faire le ménage, elles ont mis mon chandail rouge sur la poignée de la porte.
C'est un signe qui ne trompe pas : les Chinoises sont venues.
Elles n'ont rien pris.
Intimidantes, mais honnêtes.

Rêve éveillé, en écoutant le solo de voix de Baby Cox dans *The Mooche*, de Duke Ellington, enregistré le 1er octobre 1928.
Buddy Boldon a inventé une façon extrême de se servir d'une trompette.
Par la suite, Louis Armstrong a amené l'art ailleurs, un étage plus haut vers le ciel. Dans une orchestration de Guy, Gregory fait un disque à la Bobby McFerrin, en amenant l'art de la voix multi-instrumentiste un pas plus haut vers le ciel.
Un chœur Gregory Charles. Des solos d'une force irrésistible, parfois puissants, parfois tout en subtilité et douceur, dans une réalisation technique impeccable.
Trois cents heures de studio.
Un chef-d'œuvre.

276. Au courant, avec Mitsou

Assis sur le cadre de bois d'une fenêtre, je demande à Mitsou comment a été le premier enregistrement de *Au courant*, sur CBC World News.
Elle me dit qu'ils ont trouvé une façon très moderne de réaliser l'émission. Très rythmée avec de la musique.
Comme si c'était un clip de 30 minutes.
Elle est très contente.

277. Le bonheur de Chico

Je suis joue contre joue avec la petite fille de Chico.
Elle a deux ans et demi (ce n'est pas Émi), elle a encore le visage d'un bébé.

Il y a aussi un tout jeune bébé qui mesure trois pouces. Un bébé parfaitement formé, mais tout petit. Pas un fœtus.

Chico arrive, illuminé de bonheur.

« Hier, j'ai téléphoné à mon père, Je lui ai demandé avec qui je devrais faire l'amour. Il m'a décrit une fille qui s'est avéré être Maude. Et je me suis rendu compte qu'à chaque fois que Maude est devant moi, je deviens une meilleure personne. »

Il m'a ensuite demandé quel film il devrait aller voir au cinéma.

NOUVEAUX PERSONNAGES

Chris Chelios
Joueur de hockey, longue carrière.

Sammy Sosa
Vedette des Cubs de Chicago échangé aux Orioles fin janvier 2005.

Steppenwolf
Groupe rock, fin 1960, début 1970.

Soixante-dix-neuvième nuit

DIMANCHE 6 FÉVRIER 2005

278. Coulisses
C'est soir de première au théâtre et je suis derrière le décor, avant le début de la pièce. Je suis un invité.

Philo est régisseur, il a un casque d'écoute. Il est dans le jus et distribue les consignes, un peu efféminé.

Je croise Pierre Huet, l'auteur.

Il me parle.

« Salut. As-tu beaucoup d'ouvrage à la rentrée ? »

Je lui réponds d'un ton badin.

« Je ne m'en fais pas trop pour septembre. Je sais que tu vas me courir après pour me donner du travail. »

Il rit jaune.

Avec raison, me dis-je, ma remarque n'avait rien de drôle.

Je vois qu'il y a eu gâchis sur le plancher à l'arrière-scène.
C'est plein de boue. Personne ne semble vouloir ramasser,
tous trop occupés à faire leur travail.
Je regarde au plafond, je cherche un trou par où aurait pu
tomber cette merde. Je ne vois rien.
C'est la cohue.

Caroline Brunet arrive.
C'est la vedette de la pièce, un drame qui se passe au
XIXᵉ siècle dans une famille riche anglaise. Elle culpabilise.
« C'est ma faute, je m'en occupe. »
Elle a renversé un gros pot dans lequel était planté un gros
cactus.
Toute la terre s'est répandue.
C'est un des cadeaux qu'elle a reçu pour la première.
Il y en a plein dans sa loge (qui est en même temps une
salle de repos pour toute la troupe et une infirmerie).
Des poires bleu poudre dans de la mousse de coton.
Des petits soldats de 10 centimètres, une cloche, un jeu de
Etch A Sketch, une technique pour souffler les seins et
plusieurs plantes.
Le cactus est sur le sol, dans un coin, agonisant.
Il était énorme.

Martin Petit est assis sur une civière dans la loge.
Il dit que l'émission du matin à Énergie a fait tellement
d'argent pendant son passage qu'elle pourra continuer de
rouler longtemps.
Je lui dis que, si je me retirais de la radio, ce serait une
tragédie pour le public montréalais qui ne s'en remettrait
pas.
Martin me prend au sérieux.

Il y a une femme qui arrive. Je la vois de l'autre côté de la
porte d'entrée de la coulisse. C'est une amie de Pierre Pagé.
Elle ne travaille pas dans le milieu des artistes, mais les
artistes la connaissent.
Moi pas.

Je suis attablé avec ma sœur Jocelyne et je mange du veau aux champignons, sauce blanche.

La femme embrasse tout le monde.

« Hey. Ça doit faire deux ans que je ne t'ai pas vue...

— Et moi, au moins 10 ans.

— Et moi, 14... »

Ça se relance à qui mieux, mieux.

C'est à celui qui n'a pas vu cette femme depuis le plus longtemps.

Dans ma tête, je les bats tous : je ne l'ai jamais vue.

Je me tourne vers elle.

J'ai encore la bouche pleine, mais je lui dis quand même.

« Moi, ça fait 51 ans. »

Elle m'embrasse, ne sachant pas que j'ai la bouche pleine.

Je lui dis :

« Est-ce que je voûte le go ? »

Je me retourne à Jocelyne, réalisant ma gaffe.

Jocelyne me demande ce que j'ai à rire.

« Je me suis fourré. J'ai fait un lapsus, je lui ai demandé : "Est-ce que je voûte le go ?" Je voulais dire : "Est-ce que je goûte le veau ?" »

Jocelyne éclate de rire.

Moi aussi. J'en ai mal au ventre.

NOUVEAUX PERSONNAGES

Philo (Jean-Philippe Gélinas)

Le mari de Suzanne Raymond, un ami depuis 25 ans. Patron des studios de Marko. Oreille de génie. Il a 45 ans, en paraît 30.

Pierre Huet

Auteur, scripteur, poète, concepteur, fou.

Quatre-vingtième nuit

279. Explosion d'eau

J'ai un problème avec le refroidisseur d'eau.

La grosse bouteille coule. Je panique parce que l'eau coule par jets, et la grosse bouteille risque à tout moment d'exploser.

Je suis certain que c'est une intervention de l'au-delà... ou plutôt de l'en-deçà. Les forces de l'enfer qui se manifestent à travers ma grosse bouteille.

Dans le refroidisseur, apparaît un écran vidéo.

On y joue un extrait qui m'avertit des dommages qui risquent d'arriver.

Il faut transvider de l'eau. Beaucoup d'eau. Ce que je fais.

Je pense en avoir transvider suffisamment pour éviter le pire, mais je n'en suis pas sûr.

Je n'ai pas le choix, je dois attendre et voir.

280. Patates dans la clôture

Sissy Spacek tond la pelouse chez le voisin derrière chez mon père, où je demeure.

Je connais bien Sissy, c'est elle qui tondait la pelouse chez moi, il n'y a pas si longtemps.

Je pense qu'il me faudrait aller lui donner un coup de main. Je veux m'y rendre avec ma tondeuse, mais j'ai de la difficulté.

Juste devant la porte de clôture, entre les deux cours, il y a un amoncellement de purée de patates sucrées ; ça rend la porte difficile, voire impossible, à ouvrir.

Je veux amener Joséphine avec moi.

Je suis frustré parce qu'elle a fait plein de tas de merde dans la cour, même sur les patates.

Je ramasserai ça plus tard.

281. Chance

C'est l'hiver. Je marche sur la terrasse Pilon.

J'ai en main une pièce de 25 sous.

J'imagine une cible à une centaine de pieds devant moi et je lance la pièce.

De loin, je peux voir que je suis tout près de ma cible, un peu devant.

Surprise étonnante : quand je ramasse ma pièce dans la neige, elle est tombée précisément sur une autre pièce de 25 sous.

Je suis renversé. Quelles sont les chances que ça arrive ? En plein hiver ?

Je regarde un peu plus loin, là où je visais.

Je trouve une pièce d'un dollar américain.

Une pièce translucide extrêmement rare.

Faut croire que c'est un jour de chance.

282. Espionnage religieux

Je suis mandaté pour espionner des dirigeants musulmans, afin qu'ils cessent certaines de leurs pratiques douteuses.

Je me rends à leur temple et j'ai en main deux minuscules puces informatiques qui aideront les autorités pour lesquelles je travaille à les détecter à distance.

Les puces sont de la dimension d'une tête d'épingle.

J'en laisse tomber une à mi-chemin et une autre à la porte du temple.

Les musulmans seront faciles à repérer grâce à moi.

Stie de moi.

283. Taxi Texas

Après le Super Bowl, je dois raccompagner deux habitants du Texas chez eux.

284. Enceint

Je suis couché dans le lit, enceint.

Comme il se doit, France m'accompagne dans les derniers milles. Je suis à veille d'accoucher.

Je n'en peux plus et je sais que France connaît plusieurs trucs.

« France, s'il te plaît, provoque-moi. »

Elle est d'accord.

Elle me dit qu'elle aura besoin de beaucoup d'eau.
« *Veux-tu que j'en boive ?*
— *Non. Finalement, j'y pense : ça ne fonctionnera pas.* »
Elle fait couler de l'eau dans des petits bassins de plastique.
J'ai peur, même si je pense que l'accouchement est plus
facile pour un homme que pour une femme.
Un couple arrive. Des parents de France que je ne connais
pas.
Ils ont un petit bébé blond qui ressemble au papa.
Ils me disent qu'il y a un médecin sur la rive sud qui est
prêt à venir sur la rive nord nous donner un coup de main,
mais à la condition qu'il puisse parler de sport avec moi.
Je regarde France.
« *On devrait laisser la nature faire son œuvre.* »
Elle est d'accord.

NOUVEAU PERSONNAGE
Sissy Spacek
Actrice américaine.

Quatre-vingt-unième nuit
MARDI 8 FÉVRIER 2005

285. Bord de mer
Il fait froid sur le bord de l'océan dans le nord du Maine. Il
vente.
Ma sœur Sylvie, dans son chandail de laine, les cheveux en
broussaille, me demande si ce qu'elle voit devant, c'est la
forêt.
Il y a en effet de la végétation sur la plage. Mais ce sont des
petits bosquets et des herbes folles, pas la forêt.
Il y a une demi-douzaine de maisons qui font face à la mer.
Des vieilles maisons de ville qu'on imaginerait plus dans
une petite ville d'Italie.
Je les regarde. Sylvie me demande laquelle j'aime le plus.
Je les aime toutes.

Sauf peut-être la plus étroite, vieux jaune. Elle n'a que trois pieds de large.

Je vais y jeter un coup d'œil et je trouve que les architectes n'ont pas réfléchi, on ne peut même pas s'y coucher.

286. Téléphone à l'église

C'est l'hiver.

Je suis dans un stationnement et ma voiture est garée dans un espace très étroit. Il faut une précision de chirurgien pour reculer sans accrocher d'autres véhicules.

Jean Guimond est debout et me guide.

Je n'accroche rien.

Juste avant de quitter, il me donne une pièce de 25 sous.

« *C'est pour ton autoroute.* »

Je suis impressionné par sa générosité.

Dans la paroisse Saint-Martin, je vais chez mon père.

Je dois lui téléphoner avant. J'arrête donc à l'église de la paroisse.

Juste à côté de l'église, il y a une équipe de jeunes joueurs de baseball qui s'entraîne. Je note le lanceur gaucher.

Les jeunes joueurs sont préoccupés parce que c'est plein de neige. Ils pensent qu'ils ne pourront pas jouer. Je sais qu'il en est tout autrement à Sainte-Thérèse, où il n'y a pas de neige du tout.

Je veux entrer dans l'église pour téléphoner à mon père, la porte n'est pas verrouillée, mais comme je tourne la poignée, je me dis qu'il est indécent d'entrer dans la maison du Seigneur pour téléphoner.

Je change d'idée.

Il y a une autre porte en face qui mène aussi à l'église.

Devant cette porte, une boîte de bois avec le dessus vitré.

Un petit garçon me demande ce qu'est cette boîte.

« *C'est pour faire la publicité du Bon Dieu.* »

287. Texte pourri

Le texte de *Ça prendra toujours des innocents* que j'ai remis à Stéphan Raymond est plein de fautes, d'erreurs, de non-sens et sans intérêt.

NOUVEAU PERSONNAGE

Stéphan Raymond
Producteur télé.

Quatre-vingt-deuxième nuit

MERCREDI 9 FÉVRIER 2005

288. Pagé chante croche

Il y a une émission spéciale hommage à Énergie.
Hommage à qui ? Hommage à quoi ? Aucune idée.
Pierre Pagé a écrit les paroles et la musique d'une chanson compliquée à chanter, qu'il doit livrer sur les ondes, en direct.
La musique est sur une bande.
Pierre se trompe et court après la musique dans l'espoir de la rattraper.
Peine perdue : on arrête tout et on recommence.
Encore une fois, il se trompe.
Après trois essais ratés, Mario Lemieux le tasse du micro et chante à sa place.
Le grand Lemieux est impeccable.

289. Les Bush

George Bush père est très fier de son fils W. et raconte l'anecdote.
« *Quand il était pilote d'avion chasseur pour l'armée américaine, dans la Deuxième Guerre mondiale, W. avait pris l'habitude de commenter ses performances, comme un annonceur de sport. Il enregistrait ses commentaires et me les offrait en cadeau. Il m'arrive encore souvent de réécouter ses exploits.* »

Il a la larme à l'œil.

290. Disparitions des témoins
Une salle de visionnement.

Avec Rodger Brulotte et Denis Casavant, nous regardons le vieux M. Barrette parler de ses années à l'emploi des Expos. Plusieurs autres témoins viennent s'asseoir, chacun leur tour, au milieu d'un long sofa et ils parlent.

Au fur et à mesure qu'ils livrent leurs commentaires, ils disparaissent graduellement, deviennent plus pâles, puis deviennent des hologrammes et on ne les voit plus.

Je sais que mon tour s'en vient et ça m'inquiète. Je n'ai pas peur de disparaître, mais d'être trop émotif. Je pense à ce que j'ai à raconter et la gorge me serre.

Vais-je pouvoir contrôler mes émotions?

291. Bousculade et charcuterie
Je dois aller à l'épicerie faire quelques courses en prévision du souper de vendredi prochain avec Monique Giroux (de Radio-Canada).

France m'a fait une liste... que j'ai perdue.

Je ne peux pas rappeler chez moi et je dois essayer de me souvenir.

J'ai seulement retenu qu'il me fallait un pain tranché et une baguette de pain de blé. Pour le reste : aucune idée.

Pourtant, il faut que je me souvienne. Il le faut. Il le faut.

Je crois me souvenir qu'elle voulait un pâté de foie avec légumes confits.

Au comptoir de charcuterie, il y a cohue et je me fais bousculer. Les clients sont agressifs et jouent du coude, mais je n'ai pas l'intention de me laisser faire. Je pousse aussi.

Quand arrive mon tour de commander, je n'ai pas d'idée de ce que je veux.

Je me suis bagarré pour rien, finalement.

Imbécile.

292. Le jouet dans l'arbre
Un petit garçon de trois ans est dans une cour et, malgré son tout jeune âge, il réussit à lancer un objet qui ressemble

à un gros *life saver* en caoutchouc à des distances improbables.

J'en passe la remarque à France.

« France, regarde le petit gars. L'as-tu vu lancer sa bébelle ? »

Juste comme elle se tourne vers lui, il lance son objet trois cours plus loin.

Son jouet reste pris dans un gigantesque arbre.

Je m'y rends avec Pierre Lebeuf pour le rapporter au garçonnet.

On voit bien le jouet, accroché entre deux branches.

Une énorme branche de l'arbre tombe.

Pendant un instant, je pense à me servir de cette branche pour décrocher le jouet. Impossible, la branche est beaucoup trop grosse.

Le propriétaire de la cour, un jeune juif anglais, sort de sa maison et trouve qu'on prend trop de temps pour aller chercher le jouet. Pourtant, le jouet qui était inaccessible tantôt est rendu à peine plus haut qu'un plafond. Mais le propriétaire est impatient et me pousse dans le dos.

« Va-t'en, va-t'en ! »

Je suis incapable de tolérer qu'on me donne une poussée dans le dos, ça me fait virer fou.

« Arrête de me pousser dans le dos. Es-tu fou ? Es-tu fou ? ! »

En retournant d'où je venais, j'explique à Lebeuf ce que le type m'a fait.

« Il m'a poussé dans le dos, le chien sale. Je vais lui câlicer une volée. »

Pierre me montre le chien qu'il vient de s'acheter.

Un merveilleux labrador noir, tout jeune avec un poil lisse et brillant. Il ressemble à Joséphine comme un jumeau et me regarde avec les yeux doux.

À côté du chien, un journal avec la photo de Guy A. Lepage « soupçonné de prendre des stéroïdes ».

NOUVEAUX PERSONNAGES

Mario Lemieux

Meilleur joueur de hockey de l'histoire, avec Wayne Gretzky.

226

George Bush père
Ancien président des États-Unis, père de W.

George W. Bush
Président des États-Unis.

Denis Casavant
Meilleur descripteur de sports à la télévision.

Fernand Barrette
Ancien employé sur les galeries de presse des Expos et des Canadiens.

Pierre Lebeuf
Compagnon de travail depuis 1994. Attachant. Comique.

Quatre-vingt-troisième nuit
JEUDI 10 FÉVRIER 2005

293. Parachutistes
Vaste aéroport pour avion-cargo.

Plusieurs étudiants universitaires y sont pour assister à une performance d'autres étudiants parachutistes. Du haut du ciel, ils sautent et atterrissent dans des espaces de fenêtres sans vitres rectangulaires disposées sur le toit d'immenses entrepôts pour avions. Un exercice de haute précision.

Christopher Hall est là. À sa gauche, sa femme et son petit bébé.

À sa droite, un homme avec qui il discute. Cet homme a un petit tas de merde écrasé sur l'œil droit. Ça doit être pour guérir une blessure. Christopher me demande de tenir son cigarillo et de ne pas bouger.

Il m'est impossible de rester sur place puisqu'il y a une charrue avec une énorme pelle pleine de petites roches qui s'avance vers moi.

La charrue m'évite.

Je pense prendre une touche de cigare pour célébrer mon non-accident, mais je me retiens.

294. Couvercles d'égout

Deux couvercles d'égout sur la même rue doivent être replacés.

Un des deux est replacé par deux Québécois et l'autre par trois Russes.

Une promeneuse et son chum voient la scène.

Elle s'empare d'un des deux couvercles et le lance comme un disque.

Son copain affirme que lui n'est pas assez fort pour le lancer aussi loin, mais qu'il est nettement plus précis et capable de le laisser tomber exactement dans l'embouchure de l'égout.

Il le fait.

Je suis impressionné.

295. Cerf-volant

Je suis dans une salle de projection avec Bruno Blanchet et la fille qui enseigne le théâtre à Francis, mon fils.

Bruno lui-même joue deux rôles dans le film.

Un Bruno sur un quai et un autre dans l'eau avec le visage seulement qui émerge. Le professeur, quelques bancs derrière Bruno et moi, me téléphone avec son cellulaire.

Elle organise un souper et aimerait que j'y sois.

Elle aimerait que j'y sois avec Denis Potvin.

Je réalise qu'elle est mêlée, elle pense que Bruno est Denis Potvin.

Nous nous obstinons et elle finit par réaliser qu'elle fait erreur.

Elle pensait Bruno, mais se mêlait avec les noms.

Nous quittons le théâtre en auto.

Bruno, France et moi.

Dans une rue d'un quartier résidentiel, juste devant la voiture, un cerf-volant bleu uni passe et reste accroché dans les fils électriques.

Je veux tout de suite savoir si un enfant est blessé.

Il y a une voiture dans l'entrée pavée de la maison.

Je n'ai pas le temps de sortir de l'auto, la corde du cerf-volant se prend dans le rétroviseur, côté conducteur.

Bruno, qui est au volant, n'arrête pas, mais recule, recule, recule, jusqu'à ce qu'il soit rendu au bout de la corde. Alors, il sort de la voiture et se met à faire toutes sortes de niaiseries. Il se moque d'un animateur de radio.

« Wow, chers auditeurs, ne manquez pas ce qui vient : 15 minutes sans interruption musicale ! Oui, ici même à notre antenne, un gros 15 minutes sans musique ! »

Je sors de l'auto pour l'inciter à cesser son numéro.

L'auto est restée au milieu de la rue, sans conducteur, et bloque la circulation.

Un couple d'Haïtiens est devant l'auto.

Le monsieur klaxonne, impatient.

Il a bien raison : je n'ai pas d'affaire là.

Mais je dois attendre que Bruno revienne.

« Excusez-moi, monsieur... mais j'aime Bruno. Je ne peux pas l'abandonner. »

296. Geneviève fait cuire du foie

Geneviève Borne travaille pour Gérard D. Laflaque.

Elle est responsable de la distribution des chèques. Elle en a cinq pour moi.

Geneviève va dans une cour pour faire cuire cinq gros steaks de foie de veau très épais, sur le BBQ.

Elle me dit qu'elle doit manger du foie, parce que c'est bon pour son visage.

« Moi, j'en mange parce que j'aime le goût. »

Un tout petit chevreuil se promène et vient me voir.

Je le flatte.

Un peu plus tard, je crois reconnaître le même chevreuil, mais c'est un renard qui se transforme graduellement en chat blanc avec des taches rousses.

Geneviève est pressée, car elle doit assister à une première de télévision.

Une émission qui s'appelle *Les Bloopers.*

NOUVEAUX PERSONNAGES

Christopher Hall
Chroniqueur à la radio de Radio-Canada.

Denis Potvin
Ancien défenseur des Islanders de New York.

Quatre-vingt-quatrième nuit
SAMEDI 12 FÉVRIER 2005

297. Bulle et Bill
Mario Clément est dans une chaise roulante rouge à l'effigie du drapeau canadien, et je suis dans une chaise bleu fleur-de-lysée.
On roule, parallèle à une voie ferrée.
Il me tire la pipe et me met brusquement la main sur la poche.
Je steppe ça d'haut !
Je le menace de sévices physiques.
« Estie de niaiseux, je te menace de sévices physiques ! »
On parle d'un projet de télévision particulier, réalisé par Jocelyn Barnabé.
Je lui demande pourquoi il a mandaté Barnabé pour le projet ?
À cause de son petit salaire.

Nous continuons à rouler et parler.
Au même moment où on parlait de Bill Clinton, on croise Jean-François Pedneault qui me dit qu'il a été très longtemps ami avec Pierre Trudeau, qui lui-même était près de Bill Clinton.
Il se demande depuis quelques jours pourquoi Clinton est très silencieux.
C'est qu'il est très amoureux d'une fille que lui a présentée Isabelle Boulay.
Bill est dans sa bulle.

298. Stie de Simon
Simon revient avec une brouette que lui a achetée son grand-père Jean-Marie chez Canadian Tire.

Il a rencontré un policier saoul qui prétend que la brouette appartient à un éléphant. Le policier, saoul :

« J'ai demandé à qui appartenait la brouette et l'éléphant m'a répondu que c'était à lui. »

L'éléphant savait aussi l'endroit où la brouette était née et où elle avait grandi. Ce que le policier est trop saoul pour voir, c'est que derrière l'éléphant il y a un petit garçon qui parle.

Le petit gars a sculpté son nom dans le fond de la brouette qui est en bois très mou. Il l'a aussi peint sur le devant.

« Mais Simon, quand le policier va dessouler, il va penser que la brouette appartient au petit garçon qui a écrit son nom dessus, non?

— Impossible. J'ai la facture de grand-papa. »

Brillant Simon.

299. Les orteils volontaires

Simon, France et moi devons revenir de la ville, en auto. Nous marchons vers mon auto stationnée le long d'une rue.

J'offre un pouce à quelqu'un, la distance d'un coin.

À l'auto, je me rends compte que j'ai oublié ma mallette dans l'édifice d'où nous arrivons. France s'offre pour retourner la chercher. Elle pense qu'elle pourra aller plus vite que moi parce que je suis en chaise roulante.

Je ne suis ni blessé, ni malade, j'y suis par goût d'y être.

En attendant que France revienne, je fais le tour du bloc et j'aboutis tout près d'un parc. Sur la pelouse, Mario Jean et quelques autres, dont Daniel Boucher, sont pieds nus, les jeans roulés et se lancent un Frisbee.

Daniel Boucher est capable d'écarter ses orteils, avec la seule force de sa volonté. Je me demande comment il fait.

« Faire obéir des orteils, c'est comme faire obéir des enfants, il faut les regarder dans les yeux. »

Mario me dit qu'il est tanné que Corneille lui parle dans le dos.

Je tente de le rassurer.
« Je connais bien Corneille et je l'aime bien. Je ne l'ai jamais entendu parler dans ton dos. »

300. La vache

Il y a un party de bureau pour Énergie dans un hôtel.
Dans le gymnase de l'hôtel, il y a un ballon d'entraînement de boxeur.
Celui qui va vite. Personne n'est capable de l'utiliser.
Je suis certain que je suis meilleur que tout le monde et je vais à mon tour essayer. Je me rends compte que le mécanisme est brisé.
J'apporte un escabeau pour aller voir de près.
En examinant la situation, je tache mon beau chandail mauve de graisse et d'huile.
Luc Tremblay arrive en vélo.
Je lui dis que je suis meilleur que lui, c'est sûr, au ballon d'entraînement.
Et que je le clenche probablement en vélo.
La dernière remarque, c'est pour lui tirer la pipe. Luc est un cycliste redoutable.
Pierre Ouimet est là, je lui demande si la tache sur mon chandail, c'est grave. Il me demande si c'est ma grand-mère qui l'a tricoté.

J'ai recommencé à fumer.
Je marche vers chez moi avec Robert Beaudry. Il marche trop vite pour moi.
J'ai les bras pleins. Une caisse de bière, un ballon et un long machin pour briser la glace. Je dis à Robert de marcher devant.
« Tu n'es pas obligé de m'attendre. »
Une fille me croise et me parle, un peu méprisante :
« Tu nous prends pour des imbéciles ? On sait que tu lui dis ça juste pour fumer à son insu. »
Elle a raison, la vache.

NOUVEAUX PERSONNAGES

Bill Clinton
Ancien président des États-Unis.

Jean-François Pedneault
Scripteur et amateur de baseball.

Isabelle Boulay
Chanteuse, elle sort avec Marco Chicoine.

Daniel Boucher
Faiseur de chanson. Il connaît *Supplique pour être enterré à la plage de Sète* de Brassens.

Corneille
Chanteur d'origine rwandaise.

Robert Beaudry
Ami, ancien patron. Frère de Michel.

Quatre-vingt-cinquième nuit
DIMANCHE 13 FÉVRIER 2005

301. La finale et l'ours polaire

Il y a une partie de balle-molle à Sainte-Monique.
Le gagnant de la partie atteindra la finale.
Nous avons de très beaux costumes.
Mon équipe est en défensive et je joue au deuxième but.
C'est grâce à moi si nous avons gagné. Je jouais très rapproché du frappeur et j'ai quand même réussi à stopper la balle. Le frappeur s'est rendu au premier but, mais quand il a voulu quitter vers le deuxième but, je l'ai épinglé.
Je suis d'autant plus heureux que le joueur en question est une tête enflée désagréable.
Nous jouerons la finale tantôt.
Comme le veut la tradition, cette fois nous serons habillés en habit et cravate. Simon est chargé de m'apporter mon uniforme et ma cravate dans le vestiaire.
Avant le match de finale, je suis allé dans une maison au village.

Pour arriver à la maison, il me faut passer par le boulevard Rockies du Colorado, à Toronto.
Sur le boulevard, il y a de gros édifices et immeubles calcinés depuis longtemps, sur une distance de trois rues transversales.

Dans la maison, il y a une rivière qui coule une fois par jour. Plusieurs animaux, entraînés par le courant, y passent. Il faut attendre que les animaux quittent avant de faire autre chose.
Parmi les animaux, il y a un ours polaire dont j'ai peur.
Après que la rivière a été passée, je pense voir l'ours en question, toujours dans la maison. Ce n'est pas lui, c'est un petit ourson.
Comme je m'en approche, l'ours adulte apparaît.
J'ai d'abord peur, puis il se met à me parler.
Il me dit qu'il est resté plus tard pour laver l'endroit précis où il y a la chute par laquelle les animaux sont entraînés.
Il m'a fait remarquer que le reste du ménage était bien fait et m'a félicité.

302. Une chanson
On si oua tavé
Aye si oua tavé
Aye si oua tavé, to.

On si oua tavé
Tel si oua tavé
Tel si oua tavé, to.

303. Pas rancunier
Je suis témoin de l'événement.
Ça se passe tout près d'une église qui a été saccagée par Dave Hilton, il y a quelque temps.
Hilton est revenu dans le coin. Il est devenu photographe et porte une barbe.
Il assiste à un événement à photographier.
Réginald Tremblay est aussi photographe.

Il vient me voir et me demande de lui présenter Hilton, que je connais.

Réginald demande à Hilton la permission de le photographier. Il l'amène tout près de l'église de sorte qu'on puisse la voir, en arrière-plan.

Hilton doit s'asseoir sur un petit banc déjà occupé par un groupe d'enfants et une institutrice. Réginald demande aux enfants de laisser la place au boxeur et prend quelques clichés.

Hilton est tanné et refuse d'aller à l'intérieur de l'église pour d'autres photos. Je demande à Réginald s'il peut me tirer une copie de la photo.

Il voit avec le gardien de l'église s'il y a problème. Le gardien (qui est aussi Réginald, mais blond et peigné sur le côté) lui dit qu'il n'y a pas de problème.

Mais il me dit quand même :

« Quand tu es allé voir les Yankees et les Red Sox, tu ne m'as pas demandé, tu as préféré y amener ta vieille mère. Donc, je ne suis pas obligé de te donner une photo. Mais je vais le faire quand même. »

Réginald n'est pas rancunier.

304. Jaune

Une grande vente dans un mégamagasin du dollar.

Je sais exactement tout ce qu'il y a à vendre, parce que j'ai eu l'occasion d'aller visiter la place avant que les portes n'ouvrent.

Je connais le patron.

Je me souviens d'une coutellerie avec des manches roses. Mais tout ce que je veux c'est quelques marqueurs surligneurs jaunes.

Je sais qu'il y en a plein. Des milliers de marqueurs jaunes. À l'ouverture, une dame m'a devancé et a pris tous les marqueurs. Elle a un plein panier de provisions.

Je suis outré. Je remarque qu'il en reste deux dans le fond de la section et je vais les lui donner. En lui remettant, je suis sarcastique.

« Tenez. Vous avez oublié ces deux-là. »

Elle me remercie.

« Ou vous êtes professeur ou vous peinturez votre maison en jaune. »

Elle a vu que je me moquais d'elle et ne m'a pas répondu.

Elle me fait comprendre que ce n'est pas de mes affaires.

Elle n'a pas tort.

NOUVEAU PERSONNAGE

Dave Hilton

Boxeur, criminel.

Quatre-vingt-sixième nuit

MARDI 15 FÉVRIER 2005

305. Bouteille huileuse

Dans un chalet des Basses-Laurentides.

Il y a là une dizaine de personnes, dont Guy Saint-Onge et Gregory.

J'ai apporté au chalet une bouteille triangulaire d'huile végétale et deux autres contenants rectangulaires, en plastique mou transparent.

Guy s'est amusé avec ma bouteille d'huile et elle est maintenant toute gluante. Impossible à laver.

Il est mal à l'aise et veut se racheter.

« Je vais la laver. »

Le seul truc serait d'utiliser du citron, et je n'en trouve pas.

Je cherche les deux autres contenants pour voir s'ils sont aussi huileux, mais je ne les trouve plus.

Guy me dit qu'il les a laissés dans un chalet voisin.

Il y a un vieux professeur de français, c'est M. Foglia.

Il constate que j'ai déjà écrit une chanson. Il s'agit d'une lettre qu'un prisonnier écrit à sa mère.

M. Foglia est un vieux grognon négatif et affirme que si j'avais réellement été en prison, je n'aurais jamais osé écrire cette chanson-là.

Ça ne se fait pas. Il pointe un autre individu.

« Demande à lui là-bas : il le sait. Il a été longtemps écroué et n'a jamais dit qu'il s'ennuyait de sa mère. »

Quatre-vingt-septième nuit
MERCREDI 16 FÉVRIER 2005

306. Graisse de compétition

Je participe en duo aux Jeux Olympiques d'hiver.

Une compétition nouvelle et originale de patinage dont le juge est Jacques Lemaire. J'ai passé les préliminaires et je fais partie des cinq duos finalistes.

Avant de procéder à la finale sur la glace, on doit aller à la cafétéria.

Les règlements spécifiques à chaque présentation nous sont donnés au fur et à mesure.

Premier règlement : nous devons nous enduire le visage d'une épaisse couche de graisse Crisco.

Partout sur le visage.

Probablement pour faciliter le passage dans un tuyau quelconque.

On verra.

Une fois la graisse étendue, je croise Éric Salvail, un spécialiste.

Éric me prend par le bras et me pose une question d'une façon très intense.

« Après que tu te sois enduit le visage de Crisco, quand tu as regardé dans le miroir, qui as-tu vu ? Le secret du succès est là...
— Je ne sais pas vraiment. Je suis myope. C'était probablement moi-même. »

Éric me regarde, sans parler.

307. Quelqu'un à qui parler

Je travaille avec Véronique Cloutier.

Elle est contente parce que ça lui fait quelqu'un à qui parler de malheur.

308. Un ancien restaurant

France et moi visitons une vaste maison d'un étage rue Notre-Dame, sur le bord du fleuve.

C'est un ancien restaurant qui a été converti en maison.

Du restaurant, il ne reste que la sculpture d'une tête de Haïtienne géante sur le toit. Elle fait 10 pieds de haut.

Elle a un turban rouge et des boucles d'oreilles.

Chico m'avait déjà dit que le restaurant n'avait jamais marché.

Une madame sur le bien-être social y habite avec son jeune fils.

La maison est sale, vaste et vide.

Il y a trois immenses appartements, comme trois grandes salles avec des planchers de bois.

La cour est délabrée, pleine de très gros rochers escarpés. Impossible d'y marcher en toute sécurité.

Il y a beaucoup de mouches. Les mouches ont peur des humains. On les voit, mais elles se sauvent de nous.

Je vois deux magnifiques spécimens d'oiseaux très rares.

Un oiseau marin et plusieurs petites fauvettes multicolores qui virevoltent et se nourrissent dans les fleurs.

Francis est maintenant avec nous.

France nous a apporté des gants de baseball. Je les avais laissés dans l'auto, mais elle a pensé les apporter.

Il y a seulement des gants pour gauchers. Elle les dépose sur un banc.

En revenant on rencontre Bob Collin et Chantal, sa femme. Bob me dit qu'il est surpris que je n'ai jamais constaté que lui et sa femme étaient très zen.

« *Ben, Bob, c'est parce que t'es PAS zen.*

— Je suis très zen. Zen au max. »

Je suis avec un grand danois fauve, qui est assis à côté de moi, sur un banc de parc, comme s'il était humain.

Avec les jambes croisées.

Chantal me demande si je suis zen.

Je regarde le chien et lui pose la question. Le danois sait parler.

Il ne répond pas. Par contre, quand je lui dis qu'il est mon ami, il me répond : « *Toi aussi, tu es mon ami.* »

309. Suicide d'un boxeur

Pour entrer sur le territoire de l'université, des examinateurs me font épeler les mots « Boston College ».

Ça a l'air facile comme ça, mais attention.

Tous les autres membres de l'équipe olympique canadienne de boxe me parlent d'un boxeur noir de l'équipe qui s'est suicidé.

Ils disent de lui qu'il était une très bonne personne.

Il était juste tanné que le temps joue toujours contre lui.

NOUVEAU PERSONNAGE

Chantal Viens
La femme de Bob Collin, jolie fille. Gentille et toujours calme.

Quatre-vingt-huitième nuit

JEUDI 17 FÉVRIER 2005

310. Écrivain au travail

J'ai un immense cahier identifié aux raéliens, un cadeau de Marie Brissette.

Marie a déjà été raélienne, malgré les avis de son père.

Elle n'ose plus me parler de ce passé trouble de peur que je ne l'agace.

Les raéliens ont un nouveau sigle : deux seins stylisés.

Le cahier fait trois pieds de haut par deux de large. J'écris une histoire sur la couverture de ce grand cahier, puisqu'il y a beaucoup d'espace libre.

C'est une histoire à propos de France et moi.

Depuis quelques jours, France a le goût de baiser comme une nymphomane.

Je ne veux rien manquer de l'histoire et je suis très concentré sur mon écriture.

François est témoin de la scène, il est avec Félix.

Je l'entends dire à Félix qu'il trouve ça étrange que je ne me préoccupe pas de lui. Je devine qu'il est impatient, mais je m'en fous.

Je ne veux pas perdre le fil de mon histoire.

311. Bibliothèque et divan d'amour

J'entre dans une cour à bois intérieure, difficile d'accès en voiture.

Rendu au bout, je fais demi-tour à l'envers et reviens dans la cour à bois.

Il y a beaucoup de ratine entreposée.

Une fille habillée comme si elle travaillait dans la construction me demande si je sais où trouver tout ce que ça me prend.

« Oui. Pas de problème. Je sais tout ce que ça prend. Je veux juste me faire une bibliothèque et je sais comment procéder. »

Je vais prendre les bouts de bois nécessaires, un peu partout dans la place.

Vincent Leduc est là et m'accoste.

« Tu veux qu'on te fasse une petite bibliothèque ? On va t'en faire une. Viens-t'en. »

La femme de tantôt est étendue toute nue sur un divan.

Elle a un ventre mou.

Elle veut baiser avec un autre type.

Le gars a accepté de baiser avec elle, à condition qu'il puisse d'abord aller voir sa femme et son enfant.

En entrant dans l'auto, Vincent me demande si je préfère faire la nouvelle sur Guy Lafleur ou sur Vinnie Testaverde.

« Sur Guy Lafleur.

— De toutes façons, ce sont deux joueurs de football. »

Vincent ne connaît rien au hockey.

Je n'ai pas osé lui dire.

312. Chicane de couple

Une dispute entre France et moi.

Elle s'en va dans une toute petite camionnette.

Elle a quitté parce qu'elle est fâchée que je me sois emporté.

Je pense qu'elle a fait exprès de marcher fort et de parler fort sachant que j'étais concentré à écrire.

J'ai sauté une coche.

J'ai essayé de m'auto-fracasser une chaise sur la tête, sans réussir.

Elle est maintenant dans un petit autobus de rien, et saute dans une petite auto. Elle s'est arrêtée pour stationner ma grosse camionnette comme il faut.

Un type la console.

Il est certain que je l'ai bousculée émotivement.

Il le dit à tout le monde.

Je vais voir France.

« Pourquoi tu le laisses faire ? Il pense que je t'ai bousculée. Tu sais que je n'ai jamais même brisé un pissenlit. »

Elle m'assure qu'il ne pense pas ça. Elle me laisse seul.

Pierre Rodrigue est là.

Il tente de nous réconcilier. Il suggère à France d'aller faire un tour toute seule, au Mexique.

France dit que c'est trop long passer les douanes mexicaines toute seule.

Pierre lui dit qu'il connaît un truc pour accélérer le processus.

Je suis pris à laver beaucoup de vaisselle.

Ma mère me donne un coup de main.

Joséphine est grimpée sur le comptoir et tente de boire l'eau chaude qui coule dans un gros bac plein de vaisselle.

Dans une assiette : des McCroquettes que personne n'a osé manger. Elles sont mouillées et froides.

313. Chouette

Juste devant chez mon père, on construit une nouvelle rue.

Cette rue passe dans les cours connexes des bungalows déjà existants.

Ça n'a aucun sens. C'est trop tassé.

Mon père va avoir cette rue en pleine face, mais n'est pas affecté par le ridicule de ce plan d'urbanisme.

Trouve ça bien correct.

Dans la cour chez mon père, j'ai vu très subrepticement une chouette avec le visage rond d'un beau rouge oranger clair.

Simon l'a vue. Francis aussi.

Elle est apparue sur une branche et s'est sauvée dans l'arbre.

On la cherche.

NOUVEAUX PERSONNAGES

Marie Brissette
Réalisatrice avec qui j'ai travaillé sur *Ce soir on joue.*

Guy Lafleur
Ancienne superstar du Canadien.

Vinnie Testaverde
Vétéran quart-arrière dans la NFL.

Quatre-vingt-neuvième nuit
VENDREDI 18 FÉVRIER 2005

314. En voiture vers le cirque
J'ai rendu service à l'ami d'un de mes cousins.

Lui et deux de ses amis, un rasta noir et un Blanc, ont monté un spectacle de cirque très minimaliste et traditionnel.

Ils me demandent d'aller le voir et passent me prendre à la maison.

Ils ont deux véhicules qui se suivent.

J'ai demandé à Simon de venir avec moi, mais il refuse, prétextant sa guitare. Mon père décide de venir me reconduire.

Le rasta noir est seul dans une voiture peinte en 300 couleurs.

Il démarre en trombe et tourne le coin de la terrasse Pilon à pleine vitesse.

Tellement vite qu'il perd la roue arrière droite.

L'essieu est brisé. Irréparable.

La voiture poursuit quand même et devance l'auto de papa.

Avec moi dans l'auto de mon père, Mitsou et sa petite fille qui pleure.

Je dis à Mitsou que sa fille va pleurer jusqu'à l'âge de trois ou quatre ans.

Mon père fait de la surenchère.

« Les enfants, ça braille jusqu'à 20 ans. »

François Roy est apparu dans la voiture qui est arrêtée sur un feu rouge.

Le feu rouge s'éternise.

Quinze minutes, 20 minutes.

Mon père refuse de brûler le feu rouge, ce n'est pas dans sa nature.

François dit à Mitsou qu'il est fier de son charme français et de ses yeux séduisants et qu'il n'hésite pas à s'en servir.

Il dit aussi qu'il n'est plus en mesure d'apprécier la nouvelle musique.

Il va l'écouter, mais à la condition qu'elle soit accompagnée de mes commentaires, toujours pertinents et d'aplomb.

Cré moi.

315. Chanson

(Sur l'air de « Obladi Oblada ».)

Tout le temps.

Tout le temps.

Tout le temps tue.

Tout le temps tue tout l'été.

Quatre-vingt-dixième nuit

SAMEDI 19 FÉVRIER 2005

316. Prosciutto

Assis à un comptoir de charcuterie, Martin Petit est témoin d'une conversation entre France et moi.

Nous sommes devant un miroir.

Je dis à France que je n'aime que le linge noir et blanc.

Moqueur, Martin me félicite pour mon originalité.

Je parle à Martin d'un phénomène typique de notre coin d'Amérique : le nord-est des États-Unis et le Québec.

« Quand tu vois, sur une vaste pelouse, deux taches de terre, quand la pelouse est usée à deux endroits et que les deux "taches" sont à 60 pieds et 6 pouces l'une de l'autre, tu sais ce que ça veut dire ? Ça veut dire qu'il y a des gens qui jouent à la balle sur cette pelouse. Ne te pose plus de questions. C'est typique. »

Juste à côté du comptoir à collation où nous sommes, il y a une telle pelouse, on la voit par la fenêtre.

Martin mange du prosciutto et des saucissons rouges.

Je le regarde et je l'envie.

Je sais que je ne dois pas en manger, parce que je suis à la diète.

France me rassure.

« Tu as le droit d'en manger un peu. »

J'en prends d'abord un petit morceau dans l'assiette de Martin et j'achète moi-même un bout de saucisson.

Un monsieur que je ne reconnais pas sort de la charcuterie en montant sur un court escalier de bois.

Juste avant de quitter, il me parle.

« C'est toujours un plaisir de jouer à la balle contre vous. »

317. Michel et Gildor

Il est 9 h, dimanche matin.

Je suis chez ma belle-mère, absente.

À la table de la cuisine, Michel Barrette est dans la lune, triste, perdu dans ses pensées. Je ne lui parle pas.

Dehors, une longue voiture américaine des années 1970 est stationnée devant la maison. Gildor y est couché sur la banquette arrière. Il dort.

Ses enfants sont dans la voiture avec lui, et s'amusent sans faire de bruit.

Un d'eux lui saute sur le ventre.

Je vais à la fenêtre du conducteur et je cogne dans la vitre.

Gildor se réveille. Il est tout content de me voir.

Il me tend un de ses enfants, le plus jeune. Il me les présente.

Deux petites filles blondes et un petit Noir.

Il me dit qu'Ingrid en attend un quatrième.

Il n'a pas ses verres et est très heureux et calme.

« Comment va-t-elle, Ingrid ?

— Elle est en pleine forme, elle prend des cours de boxe. »

France arrive, je lui montre le petit.

« Regarde s'il est beau ! C'est le bébé de Gildor. »

Elle ne s'occupe pas de moi.

Elle est préoccupée par des vidanges qui traînent sur le bord de la rue.

Elle trouve que les gens sont malpropres.

318. Une bonne idée

J'écoute la radio de Radio-Canada, et j'ai eu une bonne idée.

Je suis certain que Charles Benoît serait très intéressé.

J'appelle à la station pour lui parler, et surprise : il est téléphoniste.

Je le reconnais.

« Mais qu'est-ce que tu fais là ?

— Je suis réceptionniste. Elle est partie en pause, je la remplace.

— Je voudrais te rencontrer, j'ai une idée.

— Faudrait que tu parles à l'adjointe, moi, je suis seulement réceptionniste. »

Je sais qu'il fait des blagues. Mais j'embarque dans le jeu.

« Bon. Très bien. Voulez-vous me passer au bureau de ce salaud de Charles Benoît, vice-président de mes deux couilles, s'il vous plaît, mademoiselle ? »

Charles joue le jeu.

Il retient son rire et me passe à son adjointe, Louise.

Louise répond, et je lui raconte l'anecdote en lui demandant un rendez-vous avec Charles.

Elle rit.

NOUVEAUX PERSONNAGES

Ingrid Roy
C'est la femme de Gildor, une belle Dominicaine.

Louise Bilodeau
C'est l'adjointe de Charles Benoît à Énergie. Jolie petite
blonde.

Quatre-vingt-onzième nuit
DIMANCHE 20 FÉVRIER 2005

NOTE *Cette nuit a été spéciale.*
Le téléphone m'a réveillé à 5 h du matin.
*Une jeune policière me demande d'aller chercher ma belle-
mère chez elle.*
*Son conjoint depuis 33 ans, Yvon, que je connais et que j'aime
comme un ami depuis 25 ans est en arrêt cardio-respiratoire.*
Il est mort.
Le soir d'avant, j'étais allé au cinéma avec lui, voir Vera
Drake.
*Par la suite, nous sommes allés manger une soupe tonkinoise
chez SoupeBol sur Sainte-Catherine Ouest.*

Je suis tiraillé.
*D'un côté, je suis tenté de faire un lien entre la nature très
agressive du rêve « Colère injustifiée » et le tragique
événement.*
*Je regarde toujours l'heure quand j'utilise mon dictaphone, il
était 4 h 30.*
Ce rêve et l'envol d'Yvon sont arrivés en même temps.
*Par ailleurs, je suis un sceptique convaincu concernant la
prémonition et tous ces genres de trucs. Mais la tentation de
croire est grande.*

319. René Lévesque, prise II
On a demandé à Denis Bouchard de refaire le rôle de René
Lévesque pour une série à la télévision.

Denis a accepté.

Mais, cette fois, il ne veut pas être la cible des critiques pour une série tournée à bas prix. Il se prépare de façon très intense.

Il est constamment dans la peau de Lévesque. Vingt-quatre heures sur 24, il devient René Lévesque.

Il a la même vilaine peau, les mêmes cheveux, la même voix. Il a la même courbure du dos et la même démarche. Il porte toujours un complet gris ou brun. Il fume.

Il veut devenir René Lévesque. Nuit et jour, Denis s'y applique.

Lui et moi sommes allés manger une soupe tonkinoise, et je croyais halluciner. En particulier quand il m'a expliqué avec force détails et arguments qu'il n'y avait pas suffisamment de crevettes dans la soupe.

Il disait que la proportion poulet/crevettes n'était pas comme elle devrait.

Il était René Lévesque.

À s'y méprendre.

320. Mitsou me joue un tour

Je suis debout, dehors, sur le bord d'une fenêtre.

Le bord de la fenêtre est en bois foncé.

En bas, il y a une rue piétonnière, il y a une foire avec plein de marcheurs.

Je m'accroche au bord de la fenêtre, les pieds dans le vide. Je veux sauter, mais je ne le fais pas. Trop dangereux pour me la casser.

Je trouve une autre façon de descendre en mettant prudemment mes pieds sur un escalier difficilement accessible.

Dans ma manœuvre pour descendre, de l'argent est tombé de mes poches.

Environ 100 dollars en plusieurs coupures.

Mitsou ramasse l'argent et, pour faire une blague, le donne à une petite fille qui vient me trouver, joyeuse.

« Regarde, je suis riche, regarde tout ce que j'ai. »

Je sais que Mitsou me joue un tour et que l'argent de la petite est à moi.

Stratégie : je me mets à pleurer à chaudes larmes.

La petite fille est ébranlée.

Son père arrive, aussi ébranlé de me voir en larmes. Il me remet l'argent.

Pour aplanir la situation, je leur paye chacun une mini-pizza.

321. Colère injustifiée

Je suis agressif et violent.

Je veux casser la gueule de Jean-Claude Gélinas. Je lui en veux à mort.

Je ne pense qu'à lui arracher le visage et je veux le faire devant tout le monde. Je crie comme un fou.

Mais ça me prend un prétexte que je ne trouve pas. C'est totalement injustifié.

Je veux le battre. Il le réalise.

Quelqu'un suggère à Jean-Claude d'aller se cacher derrière Patrice Lécuyer.

« Lécuyer n'est pas intéressé par tes problèmes ! »

Jean-Claude s'est transformé en Michel Morin.

Il me dit que je ne travaillerai plus jamais avec *Laflaque*.

Toujours frustré, mais pris par la peur, je veux maintenant négocier la paix.

Il refuse, mais il a peur de moi.

Il cherche des faux-fuyants pour éviter la discussion et ça m'impatiente encore plus. Il y a dans la rue une vaste étendue de sloche de quelques pieds de profondeur. Il se lance dedans. En plein hiver !

Il entraîne d'autres personnes avec lui, dont le premier ministre Jean Charest qui plonge dans la sloche.

Je les vois : ils sont frigorifiés et ils ont tous peur de moi.

Je suis un monstre, mais je m'en fous.

Je ne veux que l'engueuler et le battre. Pas de pitié, même si je sais que j'ai tort et que ma réaction est beaucoup trop virulente.

Pour attirer la haine des autres sur lui, je crie son salaire.

Je sais qu'il fait 20 000, mais je crie qu'il en fait 60 000.

Je mens volontairement.

Des gens sont témoins de mon agressivité et de sa crainte, mais ils pensent que c'est un numéro d'humour. Ils pensent qu'on a chorégraphié mon agression et ils se mettent à faire comme nous, imitant et copiant, en même temps, nos gestes.

Je crie aux gens qui dansent d'arrêter.

« Arrêtez de danser, stupides ! Je veux pas vous voir danser, je veux la tête de cet hostie de crosseur pourri. »

Ma crise ne change rien, de plus en plus de gens se joignent à lui et font les mêmes gestes.

Personne ne m'entend.

Je suis en larmes. J'ai mal.

322. Une grosse oreille

Une oreille géante rebondit dans un bureau de dentiste. Dans la grosse oreille : une réceptionniste.

NOUVEAUX PERSONNAGES

Denis Bouchard

Acteur, metteur en scène avec qui j'ai travaillé au Métrostar 2004.

René Lévesque

Ancien premier ministre du Québec. Homme d'État mythique.

Jean-Claude Gélinas

Humoriste avec qui j'ai travaillé un peu à la radio. Très gentil.

Patrice Lécuyer

Animateur de grand talent.

Jean Charest

Premier ministre du Québec.

Michel Morin

Script éditeur sur *Laflaque*. Tourmenté.

Quatre-vingt-douzième nuit

LUNDI 21 FÉVRIER 2005

NOTE *Je n'ai pu me rappeler que de deux circonstances, mais Yvon est apparu plusieurs fois dans la nuit.*

323. Une joke d'Yvon

Yvon Cardin s'est appliqué.

Il a sorti son crayon à mine et a écrit une joke.

Il l'a apprise par cœur et la raconte tout le temps.

324. Savon râpé

Quelques instants avant qu'il ne meure, afin de laver Yvon, nous devons râper du savon (comme dans le film *Vera Drake* que nous avons vu samedi) et le mêler à l'eau.

Par jet, nous lui envoyons le mélange dans la bouche.

325. Michèle au Casino

Michèle Richard est de retour en spectacle au Casino de Montréal.

Il y a de la pub pour le spectacle dans le *Journal de Montréal*.

La publicité est mauvaise. Un manque total de classe.

C'est elle-même qui s'en est chargée. Elle donne des coups de pied partout.

326. Le poseur de tapisserie

Quelqu'un est venu tapisser la maison chez moi.

France connaît la réputation enviable du monsieur. Il est très habile.

Il est appliqué et concentré, mais il écoute toutes les conversations.

Un bout de sa tapisserie représente mes trois fils, Félix, Francis et Simon.

Ce sont des photos en couleurs qu'il colle sur le cadre d'une porte, en haut.

327. Contrôler l'avion

Un homme d'affaires m'a invité à essayer un jet privé.
Un gros avion.
Il m'indique que lui-même, comme passager, peut
contrôler l'avion et la faire monter ou descendre à sa guise.
Il ne suffit que de peser sur un bouton.
Je pense que c'est dangereux. Il me dit que non et appuie
sur le bouton pour faire monter la queue de l'avion.
Mes craintes sont justifiées et l'avion part en culbute, en
plein vol.

NOUVEAUX PERSONNAGES

Yvon Cardin

Le mari de ma belle-mère. Homme de paix à la santé
fragile. Amateur de sport. Yvon est décédé aux petites
heures, dans la nuit du 20 février 2005.

Michèle Richard

Chanteuse, vedette médiatique.

Quatre-vingt-treizième nuit

MARDI 22 FÉVRIER 2005

328. Le *meeting* n'aura pas lieu

Meeting à 15 h avec Stéphane Bourguignon au septième
étage de TVA.
Il y a des problèmes avec les escaliers roulants qui ont
remplacé les ascenseurs. Plein de gens empruntent donc les
escaliers.
Ça monte et ça descend en foule.
C'est Jean Guimond qui a organisé le *meeting* avec
Stéphane.
Il s'agit de faire, en montage, une nouvelle version de
vieilles émissions.
Trop de monde dans les escaliers. Pressé, j'ai choisi le
risque : les escaliers roulants même s'ils sont en pleine
réparation.

Rendu au sixième étage, je suis projeté dans un champ d'arbustes. Ça ne paraît pas, mais les arbustes flottent sur l'eau, comme un immense étang, dans la noirceur.

Je dois marcher dans cette eau boueuse.

J'en ai jusqu'aux épaules et j'ai peur que l'étang ne soit éventuellement plus creux. Avec tous ces arbres, je ne peux pas nager.

Je regrette de ne pas avoir pris les escaliers.

Je marche, je marche, je marche.

Je finis par m'en sortir.

Une fois sur le sec, je vois un attroupement d'oiseaux jaune foncé. Jaune uni. Les oiseaux n'ont aucune peur de moi. Un d'eux a un bandeau sur la tête, à la Patrick Norman. Les oiseaux besognent.

Je sais que je pourrais en prendre un dans mes mains si je le voulais, mais je n'ai pas la tête à ça et je n'ai pas le temps. Il faut que je rencontre Stéphane et je suis en retard.

En revenant à TVA, je suis complètement trempé et sale. Ma chemise blanche, mes pantalons noirs, mes souliers : tout est plein de boue. Je pleure à chaudes larmes.

La réceptionniste ne me reconnaît pas tout de suite.

Je vais voir Stéphane Bourguignon au septième étage.

Il est dans une vaste classe, grande comme une salle de presse ou un gymnase. Tout le monde est à son pupitre, en silence. Comme des élèves.

Je lui explique à voix basse que, avec tout le temps perdu à me sortir de l'étang plein d'arbres, je ne peux plus faire le *meeting*. Faudra remettre.

Au même moment, je sens un pincement dans le cou.

Je me tourne et je vois, dans le fond de la classe, Jean-Paul Chartrand fils qui me fait un petit signe en riant. C'est lui qui s'est servi de son crayon comme d'un tire-pois.

Tout le monde rit discrètement. Les épaules sautent.

Jean-Paul devient Michel Beaudry.

En imitant Régis Lévesque, Michel explique à sa blonde qu'il vient de me pincer dans le cou avec une petite boule de papier mâché.

En retournant chez moi, la réceptionniste est affligée de me voir pleurer.

Elle pense que je pleure parce que je n'ai plus les moyens de payer les mensualités de mon chalet dans le nord.

« Je sais que ça doit vous coûter au moins 300 dollars, pauvre vous. »

Je suis touché par sa compassion, mais je ne sais pas à quel chalet elle fait allusion. Je suis triste.

Triste et sale.

329. En sortant du Centre Bell

Dans le vestiaire du Canadien au Centre Bell.

Le club s'apprête à quitter pour une série de matches sur la route.

Dans un coin de la chambre, je parle avec Stéphane Quintal.

Je lui raconte que j'ai rêvé à lui, la nuit dernière.

Il y a des grenouilles dans son sac de hockey.

Ses gants de hockey bleus étaient très poussiéreux.

Il y avait mêlée de journalistes, dont un de CKAC. Je l'ai reconnu par sa voix. Je crois que c'était Jean Laverdière.

Pierre Boivin et le directeur gérant arrivent.

Je les vois au loin.

Comme je n'adresse pas la parole à Pierre Boivin, je fous le camp.

Boivin a les cheveux très longs dans le dos.

Je ne l'avais jamais remarqué.

Je ne peux pas prendre le métro, alors je rentre à pieds.

Des dames sur la rue me reconnaissent.

Elles se souviennent de moi du temps de *Ad Lib*.

Elles me donnent des nouvelles de Serge Bélair qui a une émission sur le Canal Vox. Elles l'aiment beaucoup.

Je rencontre une fille vaguement asiatique de 25 ans.

Je ne la connais pas. Elle et son amoureux sont en ville.

Lui est ailleurs, elle est seule et me demande si elle peut marcher avec moi. Elle veut me parler. Elle met mon bras autour de son cou.

Un homme dans la trentaine avec une moustache noire se moque de moi en imitant les vieilles dames qui me demandent mon autographe.

Il voit que je suis avec la jeune Asiatique et est très grossier avec elle.

Je veux le frapper pour montrer à mon escorte que je suis un preux chevalier.

Nous passons à travers un restaurant.

Un homme me donne un petit coup de coude dans les côtes. Je sursaute, craintif.

Il me fait un clin d'œil et me fait signe de regarder, juste à côté.

Je vois Tommy Lee Jones qui passe dans l'allée, derrière deux gardes du corps. C'est vrai qu'il ressemble à Jones, mais plus jeune et fif.

330. Un petit tour dans la paroisse de mon enfance

Je marche dans ma vieille paroisse.

Je vois Dominique Chaloult au volant de mon ancienne Previa.

Je croise Daniel Rancourt. Il fait de la construction dans le stationnement de l'église Saint-Martin.

Il construit une Caisse pop. Je m'étonne de le voir là, faire ça. Je pensais qu'il réalisait un film.

Mais non. Il me dit que la réalisation, ce n'est pas vraiment son univers. Il ne veut plus réaliser des hosties de galas. Il se sent plus compétent et à sa place sur un chantier de construction.

C'est Guy Mongrain qui lui a trouvé le travail avec ses contacts.

Je veux entrer dans l'école Leblanc, mais comme il y a de la construction devant l'entrée, je dois faire le tour.

Je suis avec Dominique Chaloult, Marie-Danielle Heinz et trois autres filles.

Je leur explique que c'est mon école. Il n'y a aucun but à la visite.

On fait le tour de la place, c'est tout.

Un enfant a vomi dans les escaliers, personne n'a ramassé le dégât. En sortant, les filles sont allées de leur côté, et moi de l'autre.

Je fume comme un fou.

Je vois une grand-maman avec sa fille et un tout petit bébé naissant. La grand-maman, une grande mince, rudoie le petit bébé.

Je ne suis pas sûr d'avoir bien vu, mais au comportement de la vieille, je constate que c'est probablement vrai.

Je reste sur place en faisant semblant de rien.

J'attends de confirmer mes doutes avant d'intervenir, mais je ne peux plus voir.

NOUVEAUX PERSONNAGES

Stéphane Bourguignon
Écrivain. Auteur de *La vie, la vie.* Il est parent avec ma marraine Rose-Aimée.

Patrick Norman
Chanteur et guitariste de grand talent. Gentil.

Jean-Paul Chartand fils
Journaliste sportif, ami que je ne vois jamais.

Michel Beaudry
Communicateur, imitateur. *Jack of all trades.* Frère de mon chum Robert.

Jean Laverdière
Journaliste à CKAC. Jamais rencontré.

Serge Bélair
Annonceur, jadis très populaire.

Tommy Lee Jones
Acteur américain. Je l'ai trouvé dans *A Coal Minor's Daughter.*

Daniel Rancourt
Réalisateur à TVA. Gentil. Terre à terre.

Marie-Danielle Heinz
Productrice à TQS. Très comique. Sensible.

Quatre-vingt-quatorzième nuit

331. Affront

Martin Roy, Martin Petit, plusieurs amis et moi jouons dans une ligue de garage, dans l'uniforme des Canadiens. Les matches sont disputés sur une patinoire extérieure, partie d'un complexe où on en trouve une bonne demi-douzaine. Comme dans la cour du Collège Laval, à l'époque. Il fait beau.
Entre deux périodes, je m'aperçois que j'ai brisé mon bâton neuf. Un superbe bâton très léger à palette courbée, couleur bois de cèdre, que je viens d'acheter. Brisé.
Je continue quand même à m'habiller.
J'ai beaucoup de problèmes avec mes patins. J'ai de la difficulté à serrer mes lacets. En les attachant, je me tourne la tête et reconnais Felipe Alou, dans le coin là-bas, sous un long manteau.
Je lui parle en français. Il ne répond pas. Je sais qu'il comprend.
Je reviens à mes patins. Les autres sont partis vers la patinoire quand je finis par réussir à les attacher convenablement.
Felipe est devenu Bernard Landry.

Mon match a changé de patinoire et je dois marcher plus longtemps avant de rejoindre mes coéquipiers, avec mon bâton brisé.
Il y a beaucoup de neige sur la glace et j'ai de la difficulté à patiner avec mes patins mous et à compléter les jeux avec mon bâton brisé.
Ça me tape sur les nerfs.
L'entraîneur, Christian Beaulieu, me congédie. Il me dit que je ne suis plus de calibre.
Je suis bouleversé, enragé. Tous mes amis restent dans l'équipe et je me fais congédier sous de faux prétextes !
L'entraîneur ne m'aime pas, c'est ça la vraie raison. J'en suis convaincu. Il y a erreur sur la personne.
Je sors du vestiaire.

Je reviens, je retourne. Je passe mon temps à entrer et à sortir du vestiaire.

Je nargue cet hostie d'entraîneur.

Un des organisateurs du tournoi me dit qu'il va parler de mon cas au président qui, pour le moment, joue une partie de fers à cheval.

Je lui dis de fermer sa gueule.

J'ai les mains complètement enduites de peinture rouge, de cette peinture dont on se sert pour peindre la ligne du centre.

Je refuse d'entendre que je ne suis pas assez bon !

« Mon hockey est cassé ! Donnez-moi un autre hockey ! »
Jo Bocan me dit que la même chose est déjà arrivée à son mari.

Je vais tout faire pour me venger de cet affront-là.

332. Mon petit-fils aura des ailes

Sur le côté extérieur de mes deux talons, depuis toujours, j'ai des fentes d'un pouce de large et d'un pouce de profondeur.

Comme des petites poches très serrées, dans la peau.

Je les montre à ma mère devant ma sœur Danielle.

Danielle est étonnée.

Elle a exactement la même chose, aux mêmes endroits.

J'en conclus qu'un de nos descendants aura un jour des ailes aux chevilles, comme Mercure, le messager des dieux.

333. Hommage à Réal Béland

Réal fait un nouveau spectacle absolument génial.

Il est devenu la grande vedette de la scène de l'humour.

Les gens lui envoient des posters de lui qu'ils ont eux-mêmes imaginés et créés. Il reçoit des affiches gigantesques par douzaines, toutes différentes et créatives, avec en vedette sa face et ses cheveux.

Il en fait une exposition dans le hall d'entrée du théâtre.

Il y en a un où il est transformé en cheval.

Pour lui rendre hommage, certains apportent des ciseaux à pierre et lui incrustent des poèmes dans les murs de béton.

334. Salvail le fou
Éric Salvail joue dans une émission de caméra cachée.
Il est non loin de la base de l'Armée canadienne. Il joue le rôle d'un Amérindien qui se fait photographier avec les touristes.
À chaque fois, au moment où le photographe prend la photo, Éric entre en convulsion et sa face est complètement défaite. Les yeux sortis de la tête.
Tous les touristes veulent être remboursés, et s'ensuit une scène cocasse.
Il fait le truc jusqu'à ce que l'un d'eux découvre le subterfuge.

335. La belle et la bête, nième version
Simon, au volant, est bien content d'entendre Jean Leloup et Mitsou chanter ensemble, en direct à la radio.

NOUVEAUX PERSONNAGES
Felipe Alou
Ancien gérant des Expos.

Bernard Landry
Ancien premier ministre du Québec.

Christian Beaulieu
Ingénieur de son à la radio en 1980.

Jo Bocan
Maman, chanteuse sans pareille, gentille, originale et jolie.

Jean Leloup
Faiseur de chansons, le gourou de mon fils Simon.

Quatre-vingt-quinzième nuit
JEUDI 24 FÉVRIER 2005

336. Derrière le four
Une limousine allongée blanche passe devant chez moi.
Je suis à l'extérieur avec Francis et Simon et elle s'arrête à
notre niveau.
La portière s'ouvre, on embarque.
Dans le chic véhicule, il y a un chauffeur, trois hommes
d'affaires et une femme d'affaires. Ils discutent *business.*
Ils interrompent leurs discussions et un d'eux, le patron,
me demande ce que j'ai à l'agenda.
« Je vais voir le match Bruins-Canadiens, au Centre Bell. Il
faut que j'y sois avant 19 h 30. »
Je sens qu'ils m'envient. Ils aimeraient eux aussi aller voir le
match, mais c'est impossible : ils ont un « lac-à-l'épaule ».
La limousine s'arrête et je descends.
J'ai le goût de fumer. Je me penche dans la fenêtre avant et
je les regarde.
« Vous n'auriez pas un paquet de cigarettes pour moi ? »
Un type fouille dans un coin de la limousine, trouve des
cigarettes et me les donne. Des Mark Ten.
Là où je suis débarqué, il pleut.

France donne une réception.
Elle a disposé des abris qui protègent de la pluie. Les invités
sont tous disposés le long d'un mur et assis sur des chaises
droites. Je reconnais Roger Drolet et, juste derrière lui,
debout, Thérèse Mimeault.
Pour faire une blague, je demande à Roger s'il n'est pas déjà
sorti avec Thérèse. Celle-ci a entendu la question et n'a pas
saisi que c'était une boutade. Elle est fâchée.
« Jamais ! Jamais ! Au grand jamais ! »
Je me sauve. Je demande à France où est passé Francis.
Elle ne le sait pas, mais elle présume qu'il est sur l'autre
étage.

Au même moment, entre deux tâches, elle se regarde dans le miroir et trouve qu'elle a maigri. Je vois ses fesses.

Belles fesses rondes, j'ai l'eau à la bouche.

Malheureusement, pas d'endroit où on puisse baiser, sinon derrière le four, où il y a des rouleaux de poussière qui donnent des boutons.

On y va et, en une minute, le frisson sublime a déjà abouti !

Je la regarde et pour un instant j'ai cru que je m'étais trompé et que j'avais sauté Liza Frulla.

Mais non, c'était bel et bien France.

Ouf.

337. Aveugle

Martine Doucet est avec sa fille de 20 ans.

Elles choisissent de la tapisserie.

Je réalise que sa fille (qui lui ressemble à s'y méprendre) est aveugle, même si elle a des petites lunettes de lecture sur le bout du nez.

Les pupilles de ses yeux sont en mouvement perpétuel de gauche à droite.

Un petit mouvement saccadé qui ne trompe pas.

Je suis touché.

Triste.

338. Film ou réalité ?

Bernard Fortin est étendu sur un lit.

Il a un problème : il ne sait pas s'il est en tournage ou s'il est dans son quotidien. Doit-il jouer ou être normal ?

Il ne prend pas de chance et fait comme s'il était en tournage.

Son personnage est un débile léger.

Il a entre les mains une grosse radio portative.

Il cherche à voir une image.

Il ne comprend pas qu'une boîte peut parler et ne pas avoir de face.

Étendu sur son lit, il retourne la grosse radio dans tous les sens.

339. Jazz

Quand un musicien de jazz meurt, ses chums, ses amis musiciens ont toujours hâte de jouer.

Ils savent qu'ils seront meilleurs qu'avant.

Ils savent qu'un vrai chum musicien laisse toujours son talent en héritage à ses amis. C'est une joie de jouer et d'expérimenter cette nouvelle dimension, cette nouvelle texture, ce beau cadeau.

Le meilleur moment pour entendre du jazz, c'est quand un d'eux vient de mourir.

340. Hypochondriaque

C'est un jeu télévisé où on doit deviner le nom d'un savant célèbre.

Le maître de jeu cherche le nom du docteur qui a trouvé le remède à 12 maladies compliquées.

Il énumère les 12 maladies.

Andrée Boucher, qui est sur le panel, ne comprend pas le fonctionnement de l'émission. Hypochondriaque, elle pense qu'on cherche le nom de quelqu'un qui est atteint de ces 12 maladies.

Elle crie.

« C'est moi ! C'est moi ! »

341. Mauvais *timing*, mauvaise blague

C'est l'hiver, il y a beaucoup de neige.

Je suis dehors sur le côté de la maison, chez Yvon, mon beau-père décédé dimanche. J'ai son porte-clefs.

À son porte-clefs, il y a une télécommande à multiples fonctions et je ne sais pas quel bouton fait quoi.

Je veux jouer un tour à Mme Cardin qui est dans sa cour, pour mettre un peu de folie dans sa semaine de deuil.

J'appuie sur un bouton au hasard.

La voiture d'Yvon, enneigée dans la cour, démarre.

Mme Cardin est affolée.

Le moteur roule.

Yvon sort de la maison, en boxers, et court à la voiture. Il fait le tour de l'auto frénétiquement.

Je suis bouleversé d'avoir forcé Yvon à sortir de chez lui dans cette tenue-là.

Il fait trop noir pour que je voie les boutons sur la télécommande.

J'appuie sur tous les boutons et je finis par éteindre le moteur. Yvon n'est pas du tout fâché.

NOUVEAUX PERSONNAGES

Roger Drolet
Animateur radio qui vient d'une autre planète.

Thérèse Mimeault
Ancienne téléphoniste de lignes ouvertes à CKVL.

Liza Frulla
Ministre au fédéral.

Bernard Fortin
Acteur, chic et drôle.

Andrée Boucher
Animatrice, actrice, intense.

Quatre-vingt-seizième nuit
VENDREDI 25 FÉVRIER 2005

342. Soins de la bouche
Je suis devant un miroir et je me lave la bouche avec du savon Irish Spring et un peu d'eau.

C'est un vieux truc, mais il peut être dangereux.

Il faut attendre que le savon soit presque fini, qu'il ne reste qu'une mince pastille, qu'on applique en se regardant entre la langue et le palais. Il faut la laisser fondre sans jamais l'avaler.

Mon truc, c'est de toujours faire des sons avec ma bouche pendant le lavage.

Une fois le savon complètement fondu, je crache l'eau blanchie.

C'est très bon pour les dents.

343. Pelouses Inc.

Une idée que j'ai eue.

Les gens viennent chez nous pour tondre *leur* gazon.

Je leur fournis toutes sortes de tondeuses. Ils arrivent chez moi et automatiquement ma pelouse devient leur pelouse.

Ils font la queue, comme pour un lave-auto.

Jean-Marie, mon beau-père, travaille avec moi et voit à ce que toutes les tondeuses soient fonctionnelles.

Il trouve que la plus petite tondeuse, celle qui fait les travaux plus délicats, aura bientôt besoin d'un aiguisage.

Tout le monde est d'accord.

Je suis dans une roulotte qui sert de quartier général et de centre de contrôle. J'ai installé une petite caméra sur le terrain, derrière une plaque noire.

Chaque fois qu'une tondeuse passe devant cette petite caméra, la musique change dans la roulotte.

344. Conseil de bière

Je prononce une conférence sur la bière.

« Quand il fait chaud l'été, et que vous êtes en plein soleil, profitez-en pour prendre une bière industrielle ordinaire. En pleine chaleur, il est ridicule de gaspiller une bonne blanche ou une bonne rousse artisanale. »

Quatre-vingt-dix-septième nuit

SAMEDI 26 FÉVRIER 2005

345. Cris dans la nuit

Las Vegas. Je dois aider Yvon à sortir du casino.

Il est très mal en point, mais tient à nous accompagner quand même.

Je suis dans le stationnement de l'hôtel. Un très long stationnement à une seule rangée où les voitures se rangent, perpendiculaires au bord du trottoir, protégées par de hautes clôtures avec du barbelé.

Je marche vite et je laisse Yvon au Previa, tout près de la porte de sortie.

C'est un espace réservé aux handicapés.

Je vais chercher l'auto de mon père plus loin dans le stationnement. Une très longue Météor argent, comme celle qu'il avait en 1970.

Dans le groupe, il y a ma mère, France, une fille non identifiée bronzée, les trois gars et deux amis de Simon, dont Gabriel.

Simon se dispute avec deux gars de l'autre côté de la clôture. Plus gros et plus vieux que lui. Mais ils ne peuvent pas s'en prendre physiquement à lui, à cause de la clôture barbelée.

Simon (ou ses amis) a provoqué la colère des deux gars.

Ça m'étonne de lui. Il n'est pas baveux de nature. Un d'eux, le plus mince, part à la course et veut faire le tour de la clôture pour battre Simon.

Je crie pour l'avertir.

Il ne m'entend pas. Alors je crie plus fort.

Il ne m'entend toujours pas et j'ai de plus en plus peur.

Pourtant, je ne suis qu'à 10 mètres de lui.

Je hurle comme un fou.

Il va se faire attaquer et je veux qu'il se sauve dans la voiture avec son grand-père. Je crie, mais il ne m'entend pas.

Peut-être qu'il ne veut pas m'entendre ?

346. Félix se vide le cœur

Dans le sous-sol de mon ancien semi-détaché, à Laval.

Je suis avec Félix et mon voisin, M. Marcotte.

Félix est mal à l'aise et aux prises avec des sentiments partagés.

Finalement, entre les dents, il me dit d'un ton sec, comme à regret :

« Je voudrais te dire que je méprise les gros salaires que tu fais, mais je me retiens parce que tu paies pour mon université. »

M. Marcotte et moi, on se regarde, calmement.

Michelle, sa fille, qui n'a pas un an, a mis le feu dans un appartement.

« C'était involontaire, il ne faut pas la disputer. »

Il est probable que la petite commette d'autres gaffes semblables, mais il n'y a aucun recours. Elle est trop petite et elle ne comprend pas la portée de ses gestes. Comment la blâmer ?

347. La plaine est un volcan

La nature m'inquiète.

Je sens que le volcan va finir par faire éruption.

Je le sens de mauvaise humeur.

C'est d'autant plus inquiétant que, ici, le volcan n'est pas sur une montagne, mais au niveau du sol. Comment la lave va-t-elle faire son chemin ?

Ça me préoccupe.

348. Les souvenirs s'envolent

J'ai développé un paquet de vieilles photos que je dois faire sécher à l'extérieur. En plein soleil, sur un patio de bois, comme on avait à Laval.

Il vente beaucoup.

Au début, quand les photos sont humides, elles collent à la surface de bois, mais quand elles sèchent, elles tendent à s'envoler.

Les photos se changent en feuilles de textes.

349. Un analyste coupe le gazon

Je reviens chez ma mère, j'étais allé au baseball.

En face de la maison, chez René Blouin, un monsieur coupe le gazon. C'est Tim McCarver, l'analyste de baseball et ancien receveur.

Il était aussi au baseball.

Il me parle dans un français tellement pénible, c'est à peine saisissable.

Mais il insiste pour parler ma langue. Bon.

« Je crois, moi, voir, euh, vous, où êtes-vous pour baseball ? »

Je sais qu'il était au baseball, il était avec le président des Expos.

Je me mets à pleurer et il ne le réalise pas ; il est trop concentré à essayer de parler en français.

Il ne voit pas ma peine.

« Qu'est-ce que faire vous job ?

— Je fais des nouvelles du sport.

— Ah. Ça bon. »

350. RDS

Jocelyn Bigras est chez lui et m'offre un cigare.

Jocelyn est un *cigar afficionado*. Il en est dingue.

Je n'y connais rien, mais je suis content : je vais pouvoir fumer.

Il demande à son fils de nous apporter le plateau de cigares.

Sur le plateau, les cigares sont des tranches de pain de toutes sortes, séchées.

Celui que je choisis est une tranche de pain en demi-cercle, je dois la gruger jusqu'à ce qu'elle ressemble vaguement à un cigare.

On regarde un combat extrême à la télévision.

Sur l'arène, un énorme bonhomme frappe un petit Asiatique par terre.

Le petit a la face toute boursouflée.

Puis, c'est le petit Asiatique qui prend le dessus.

À une autre station, un joueur de balle est concentré.

Son entraîneur a reçu quelque chose dans l'œil, une petite roche.

Le joueur, lui pinçant le globe oculaire, fait pisser du sang du centre de l'œil.

C'est ce qu'il faut faire dans un cas semblable.

351. Ceinture défectueuse

Je suis sur la banquette arrière dans l'auto de mon père et je dois la conduire. Je pensais que ça se faisait facilement, mais je ne peux toucher ni aux pédales, ni au volant. Je suis incapable de grimper sur la banquette avant.

Comme si la ceinture me retenait.

La voiture s'en va, toute seule.
J'ai peur en estie.

352. La journée du personnage

Je cours dans un corridor de TVA, pressé pour je ne sais trop quelle raison. Un technicien que je connais de longue date, me voit.

Il me félicite pour la mort de mon beau-père Yvon et me dit que Pierre Verville vient d'avoir un tout petit bébé et s'est acheté une toute petite voiture.

« Faut que je flye, j'ai pas le temps. »

TVA s'est changé en Cégep Bois-de-Boulogne

Tous les étudiants que je rencontre sont en représentation théâtrale.

Tout le monde est costumé ou maquillé.

Ils jouent dans différentes pièces de théâtre. Dans les classes, dans les corridors, aux cases, partout. Des costumes et des maquillages.

Certains me reconnaissent, mais ne décrochent pas.

NOUVEAUX PERSONNAGES

Gabriel Girard
Le meilleur ami de Simon. Sportif et joueur de guitare.

Denis Marcotte
Ancien voisin rue Tripoli, Laval.

Michelle Marcotte
La fille de Denis, du même âge que Félix, née en 1982.

René Blouin
Ami d'adolescence, mort noyé, à 20 ans.

Tim McCarver
Analyste de baseball et ancien receveur de Bob Gibson.

Jocelyn Bigras
Grand frère de Carole.

Pierre Verville
Imitateur, ornithologue, je travaille avec lui sur *Laflaque*.

Quatre-vingt-dix-huitième nuit

DIMANCHE 27 FÉVRIER 2005

353. Pinard prédicateur

Le lieu hybride, entre une église et une grande cafétéria.

Devant, à une tribune très surélevée, Daniel Pinard dans son aube, avec ses petites lunettes.

Il a l'allure d'un curé, d'un *preacher*. Et en même temps, c'est un surveillant principal de cafétéria.

J'entre avec mon cabaret rouge et je cherche une place où m'asseoir.

Il y a une table avec des filles que je connais et une autre où sont assis Pierre Pilon, Peter Kisilenko et un autre musicien.

Je vais m'asseoir juste devant Pierre Pilon. Je le trouve comique.

Devant, Daniel Pinard m'a vu choisir cette table.

Il dit au micro :

« Y'en a qui savent choisir leur spot... »

Je sais que Daniel a un faible pour les musiciens.

J'adore Pinard, je le regarde et je lui fais un pouce en l'air.

Pilon, toujours pince-sans-rire, lui parle entre les dents.

« Toi, le gros Pinard, j'espère que tu t'enlignes pas sur ma baguette. Tu vas trouver le temps long. »

Kisilenko, l'autre gars et moi, rions de bon cœur.

Mais pas trop fort.

Il ne faut pas que la religieuse nous enlève notre gruau.

Les religieuses ont un surnom : l'« Escouade Pinard ».

C'est sa police privée.

354. Bouffe passée date

C'est l'hiver.

Un petit labrador noir court devant chez nous, énervé.

Il va et vient, toujours à toute vitesse, et ne semble pas avoir de propriétaire. Je sais qu'il y a de la bouffe passée date dans une assiette, sur mon terrain. Un genre de ragoût pour chien, avec sauce et boulettes.

Le chien s'approche pour le manger. Je ne l'empêche pas.

Méchant moi. J'en aurai des remords.

355. Jeu de cartes
J'ai un jeu de cartes en mains.
Un as, un roi, et les cartes 5, 4, 3 et 2.
Je sais que l'as est de trèfle.
Je ne sais pas à quoi je joue, ni avec qui.

356. Bogue
Mon ordinateur fait des folies.
Au milieu d'une session de travail, ce qu'il y a sur mon
écran (textes et images) se dédouble. Comme s'il se
rajoutait un écran par-dessus l'autre, en cascade.
Chaque fois, une petite fenêtre s'ouvre en bas de l'écran.
Les documents s'empilent. Je panique. Je ferme l'ordinateur.
Et ça recommence, au bout de quelques minutes.
J'ai peur de perdre des documents, et je m'impatiente.

NOUVEAUX PERSONNAGES
Daniel Pinard
On dit de certains qu'ils sont allumés. Lui est enflammé.
Brillant et torturé.

Pierre Pilon
Musicien, batteur. Une bonne personne.

Peter Kisilenko
Musicien, bassiste. Discret, gentil. Beau bonhomme.

Quatre-vingt-dix-neuvième nuit
LUNDI 28 FÉVRIER 2005

357. Cancer du bas-ventre ?
J'ai un gros kyste sur le bas-ventre à gauche.
Un peu plus gros qu'un deux dollars. Une bosse brune qui
ne me fait pas mal.
Le kyste est apparu il y a une couple de semaines et
m'inquiète.

J'ai installé une chambre dans un local du parc Ducharme à
Sainte-Thérèse.

J'y ai apporté quelques matelas, des couvertures, des livres,
et des lampes.

J'y passe mes nuits.

Ce soir, Joséphine m'a suivi.

Je suis content, mais je me demande qui a laissé la porte de
la cour ouverte.

Félix aussi me rejoint. Simon et Francis suivent.

J'ai demandé à Simon ce qu'il pensait de mon kyste. Il m'a
dit que si on ne voyait pas de dessin sur l'excroissance,
c'était mauvais signe, probablement un cancer.

Il n'y a pas de dessin sur mon crisse de kyste. *Shit.*

Ma peur s'accroît.

Deux cols bleus de la ville entrent dans le local et
sursautent, surpris de voir toute mon installation. Comme
je n'ai pas obtenu la permission de la ville, les cols bleus
empilent les matelas les uns sur les autres, m'ordonnent de
vider les lieux, et jettent mes oreillers.

Félix s'est transformé en Danielle.

Elle a ramené Joséphine, en laisse, à la maison.

Simon, Francis et moi devons enjamber des fils et des
planches pleines de clous, pour rapporter les matelas et les
couvertures.

358. Un duo content

Je suis en coulisse, à l'arrière-scène d'un gala.

Jean-Paul Chartrand fils et Normand Brathwaite viennent
de gagner le trophée du meilleur duo d'annonceurs de boxe.

Jean-Paul entre sur la scène en courant, heureux comme un
roi. Il porte un beau complet, mais son veston laisse
paraître une bedaine spectaculaire. On dirait qu'il a de
toutes petites jambes. Mais rien n'entache son bonheur
victorieux, il se fout de ce qu'il a l'air.

Normand suit en riant, il la trouve bonne.

C'est qu'il ne connaît absolument rien à la boxe. Il est
assommé de savoir qu'il a gagné ce trophée-là.

Ils ressortent de la scène et reviennent en coulisse.

Les deux ont le sourire jusqu'aux oreilles. Jean-Paul pour sa victoire, et Normand parce qu'il trouve ça trop drôle.

359. Drogue à l'école

Je porte un superbe complet marine, avec cravate et tout. Je suis en vélo.

Armé d'un micro d'Énergie, je vais à l'École secondaire Saint-Martin.

Le fil du micro est une ficelle. Je dois passer par la cour, par une porte dans la clôture. La porte est gardée et n'entre pas qui veut.

On ne me pose pas de questions. J'ai l'air jeune, on dirait.

Je saisis une conversation entre deux étudiantes.

La plus vieille parle à la plus jeune.

« Pour ton haschisch, va voir grand-maman Françoise Cardin. C'est elle qui a le meilleur stock et les meilleurs prix. »

Les filles ne savent pas que j'ai tout entendu.

Ça m'écœure que ma belle-mère vende de la *dope* aux étudiants.

Je vais au bureau de direction de l'école.

Je remarque qu'on y parle encore beaucoup de drogue. On en parle banalement. Comme si c'était normal et entendu.

À la lumière de ce que j'entends, je déduis que les professeurs encaissent un certain pourcentage du profit de la vente de drogue.

Il y a un comptoir entre moi et le bureau de direction, un long comptoir, comme un restaurant. Une partie du comptoir se lève, pour que les gens puissent circuler, sans avoir à faire un long détour.

La madame responsable me dit de faire le tour.

« Faire le tour ? Ça va pas ? Pourquoi faire le tour quand je peux passer juste ici. Regardez-moi bien et lisez sur mes lèvres : je ne ferai pas le tour. Ok ? »

Elle me laisse passer, mais à la condition que je fasse un bon reportage positif et que je souligne son amabilité toute personnelle.

La réplique a été vive.

« *Je sais que vous faites de l'argent avec la drogue. Je le sais. Vous m'en passerez pas.* »

360. Petits et grands

Un beau setter irlandais court derrière ma voiture.
C'est notre meilleur chien.
La famille au complet est dans l'auto. Nous tournons autour du mont Royal.
C'est formidable parce qu'il y a un petit et un grand de chacun des trois gars. Un petit Félix de 10 ans, et un grand Félix de 21.
Un petit Francis de 7 ans et un grand Francis de 18.
Un petit Simon de 5 ans et un grand Simon de 16.

Nous sommes en pique-nique. Le petit Francis pleure. Je lui parle.
« *Petit Francis, va voir grand Francis. Il a le tour avec les petits gars de ton âge. Il va te consoler.* »
Petit Francis va voir grand Francis qui le prend dans ses bras, et les pleurs disparaissent.

Centième nuit

MARDI 1ᵉʳ MARS 2005

361. Canada Games

Je suis au volant d'une grosse voiture décapotable et je m'apprête à sortir d'un stationnement payant intérieur.
J'étais dans ce stationnement depuis à peine quelques minutes.
Guy Saint-Onge est assis côté passager. Derrière : Crête et une fille. Gregory marche à côté de la voiture.
Je lui fais signe de sauter dans l'auto. Il a déposé d'abord sa valise dans le coffre arrière et s'assoit dans le milieu, en arrière.
Nous allons aux « Canada Games ».

Quand je suis arrivé dans le stationnement, je ne conduisais pas, c'était Elaine Benes. Elaine est maintenant la préposée au stationnement dans sa petite cabane de perception et me demande mon billet.

« *C'est pas moi qui ai le billet, Elaine, c'est toi. C'est toi qui conduisais quand nous sommes arrivés.* »

Le règlement est clair : pas de billets, c'est 5 dollars.

Je lui donne son 5 dollars, même si je trouve ça cher. Ma voiture n'a été stationnée qu'à peine plus de deux minutes. Elle ne veut pas mon argent, mais il est trop tard, je suis déjà parti.

Elle le laisse tomber par terre.

C'est elle qui devra quitter sa boîte pour le ramasser.

Moi, j'ai déjà l'esprit ailleurs. Je cherche le bon endroit où tourner et je me retrouve dans un cul-de-sac, non loin de l'ascenseur.

Dans l'ascenseur, il y a Gilles Vincent.

Gilles connaît bien la ville et s'offre pour nous guider.

J'ai un bâton de hockey dans les mains.

Tout le groupe entre dans l'ascenseur, et on s'en va sur les lieux de travail de Crête. C'est une manufacture de fabrication de mauvais bâtons de hockey en bois et d'équipement divers, ouverte au public.

Les bâtons sont *cheaps*, aucune palette courbée, juste des droites.

Le patron de la manufacture est un juif.

Il porte une casquette de baseball couleur peau.

C'est lui qui les fabrique. Une belle casquette. Il m'en donne une. Crête me l'avait montrée la semaine dernière, même s'il n'avait pas le droit.

Sur la casquette, une imitation du logo des Ligues majeures.

Dans la manufacture, il y a plein de jeunes garçons avec des papas qui magasinent, essaient des équipements et rêvent.

Il y a beaucoup d'articles, mais pas beaucoup de choix.

Le monsieur juif me demande ce que nous faisons chez lui.

« *Nous devons assister aux "Canada Games".* »

Il n'est pas d'accord.

« *Ça ne devrait pas s'appeler les "Canada Games", mais les* *"Guy Lafleur Games". On parle juste de lui, c'est scandaleux.* »
Ça sent la colle dans la manufacture, l'air est vicié.
L'environnement est malsain.

362. Prisonniers blancs, golfeurs arabes

Je suis prisonnier volontaire dans l'appartement d'un riche Arabe proaméricain et de son père, à Bagdad. Les deux sont maniaques de golf.
Je suis étendu sur un long sofa carré, le long d'un mur.
Jean Guimond est aussi dans le logement, debout derrière le sofa.
J'ai caché des balles de golf un peu partout dans la maison. Une ou deux dans la craque du sofa sur lequel je suis étendu.
J'en ai donné à Jean, devant les deux Arabes, sans qu'ils ne s'en aperçoivent. Hypocrite de moi.
Les deux Arabes finissent par réaliser que je suis le coupable.
Le terrible cacheur de balles de golf.
France était arrivée avant moi.
Je lui ai demandé si elle avait été fouillée aux douanes.
« *Oui, mais juste à Mirabel. À Bagdad, pas de problème.* »

363. Souvenirs de Beau Dommage

Nous allons dans un souper officiel d'État.
Il y a quelques membres de Beau Dommage à ce souper
Autour d'une table, nous discutons des mérites de Pierre Bertrand, qui n'y est pas. Michel Rivard est content d'avoir l'occasion de s'exprimer sur la musique, il pensait que personne n'était intéressé à son opinion.
À mon tour, je dis que Bertrand me donne l'impression d'être un gars très tendre et chaleureux, familier.
Rivard me dit que Bertrand dégage une odeur de muffins.
Maude Loiselle est dans la cuisine et nous entend discuter, elle sert les repas dans des contenants de styromousse.
Quand les plats sont vides, il reste de la vinaigrette dans le fond.

Il faut l'essuyer avec une toute petite éponge au bout d'un crayon et la mettre dans un verre à cet effet.

364. Bière et nouveaux billets

Des Québécois travaillent derrière un très grand comptoir circulaire, au milieu d'une grande gare moderne. Comme un bar.

Ils boivent de la bière froide, en cachette, dans de très longs verres.

Ils m'en offrent un.

Un des serveurs me montre les nouveaux billets de banque canadiens.

Les nouveaux 5, 10 et 20. Il les trouve laids.

Les billets sont particuliers, en effet.

Ils sont dessinés en art moderne, avec des couleurs tranchées et des dessins fuckés. Il les analyse. Sur un des billets, il y a une vieille madame qui devient chauve sur le devant du crâne, elle a l'air malade.

Sur un autre, il y a un chien mal dessiné.

On dirait un dessin « botché ».

Le serveur me confirme que les billets sont signés Tex Lecor.

NOUVEAUX PERSONNAGES

Elaine Benes
Personnage de *Seinfeld*, Julia Louis-Dreyfus

Gilles Vincent
Réalisateur-meuble de TVA, 6 pieds 6 pouces. Décédé il y a quelques mois. Bon *jack*.

Pierre Bertrand
Membre du groupe Beau Dommage.

Tex Lecor
Chansonnier, peintre, insolent téléphonique.

Glossaire et index des personnages

Chaque entrée de ce glossaire est suivie du numéro du rêve dans lequel le personnage apparaît.

A

Allaire, François 195
Ancien entraîneur des gardiens du Canadien de Montréal.

Alou, Felipe 331
Ancien gérant des Expos.

Amyot, Carole 134
Fille que j'ai connue à l'adolescence.

Amyot, Serge 42
Ancien journaliste du *Journal de Montréal*. Spécialiste de football.

Angélil, René 40
Gérant et mari de Céline Dion. Sympathique. Comique.

Arafat, Yasser 3
Leader palestinien, mort à l'automne 2004.

Arcand, Paul 56
Animateur du matin depuis toujours. Il est au 98,5.

Arcand, Pierre 45
Mari de Dominique Chaloult président de CKOI.

Ardisson, Thierry 209
Animateur de *Tout le monde en parle* en France.

Aubertin, Louis-Alexandre 94, 204, 231
Un ami de longue date de Francis. Pan de mur.

Auclair, Richard 118
Notre voisin. Jeune avocat, bon père de famille.

B

Barnabé, Jocelyn 48, 297
Réalisateur du Gala des Gémeaux. Réputation exceptionnelle. Doux. Marginal.

Barrette, Fernand 290
Ancien employé sur les galeries de presse des Expos et des Canadiens.

Barrette, Michel 223, 253, 317
Acteur, animateur, raconteur. Attachant. Sensible.

Beaudry, Michel 328
Communicateur, imitateur. *Jack of all trades*. Frère de mon chum Robert.

Beaudry, Robert 300
Ami, ancien patron. Frère de Michel.

Beaulieu, Christian 331
Ingénieur de son à la radio en 1980.

Becker, Boris 207
Ancien joueur de tennis allemand.

Bélair, Serge 329
Annonceur, jadis très populaire.

Béland, Réal 2, 36, 86, 141, 195, 333
Humoriste génial, garçon humble et très talentueux. Papa de deux belles petites filles. Un ami.

Béliveau, Jean 32
Un des plus grands joueurs de l'histoire du hockey. Capitaine du Canadien dans les années 1950 et 1960. Le Gros Bill.

Bellavance, Marithé 99
Ancienne animatrice à CKOI.

Benes, Elaine 361
Personnage de *Seinfeld*, Julia Louis Dreyfus.

Benoît, Charles 8, 26, 108, 318
Vice-président du réseau Énergie. Un supporteur depuis plus de 10 ans. Un ami.

Bergeron, Michel 100
Ancien entraîneur de hockey devenu analyste.

Bertrand, Janette 48, 135, 201
Auteur. Bonne amie. Intense. Refuse de vieillir.

Bertrand, Pierre 363
Membre du groupe Beau Dommage.

Bigras, Carole 134, 139, 153, 167
Amie d'enfance de France, qui est toujours dans le paysage. Mariée avec un de mes meilleurs amis, Crête.

Bigras, Jocelyn 350
Grand frère de Carole.

Bilodeau, Louise 318
C'est l'adjointe de Charles Benoît à Énergie. Jolie petite blonde.

Bissonnette, Jonathan 25
Jeune coéquipier de Francis avec les Artilleurs de Sainte-Thérèse.

Blanchet, Bruno 228, 295
Créateur original, poète. Gentil génie.

Blouin, René 349
Ami d'adolescence, mort noyé, à 20 ans.

Bobby le Gros 61
Personnage de la série *Les Sopranos*. Chauffeur. Gros ourson doux.

Bocan, Jo 331
Maman, chanteuse sans pareille, gentille, originale et jolie.

Boivin, Colette 107, 115
Ma voisine, mère de deux adolescentes.

Boivin, Pierre 195, 329
Président du Canadien.

Bolduc, Mademoiselle 44
Mon professeur de 4e année. Jolie femme aux cheveux noirs.

Bombardier, Denise 253
Journaliste animatrice.

Borg, Bjorn 207
Ancien joueur de tennis suédois.

Borne, Geneviève 102, 296
Jolie animatrice.

Bossy, Mike 121
Ancien joueur étoile de la LNH devenu un bon copain.

Bouchard, Denis 319
Acteur, metteur en scène avec qui j'ai travaillé au Métrostar 2004.

Bouchard, Émile fils 86
Petit frère de Jean.

Bouchard, Jean 86
Ancien copain du Collège Laval, journaliste artistique. Fils du grand Butch Bouchard, frère de Pierre.

Boucher, Andrée 340
Animatrice, actrice, intense.

Boucher, Daniel 299
Faiseur de chanson. Il connaît
*Supplique pour être enterré à la
plage de Sète*, de Brassens.

Boudreau, Josée 99
Ancienne coanimatrice avec Martin
Petit, à Énergie.

Boulay, Isabelle 297
Chanteuse, elle sort avec Marco
Chicoine.

Bourdon, Mario 26
Producteur du Gala des Gémeaux
2004.

Bourguignon, Stéphane 328
Écrivain. Auteur de *La vie, la vie*. Il
est parent avec ma marraine Rose-
Aimée.

Bourque, Alain 195
Réalisateur des *Grandes Gueules*.

Boyer, Maurice 134
Célèbre quilleur québécois, années
1950 et 1960.

Branchini, Mario 40
Ami, vieux chum de Chico.
Réalisateur italien au sang chaud.

Brassard, Pierre 202
Acteur, humoriste, animateur. Très
drôle. On partage certaines amitiés.

Brathwaite, Normand 13, 141,
210, 235, 260, 358
Longtemps mon meilleur ami
showbiz. Animateur. Musicien.

Brisebois, René 127
Scripteur des *Boys 1, 2, 3* et *4*. Ami,
amateur de baseball.

Brière, Benoît 21
Acteur de talent. L'inoubliable
Monsieur Bell à 100 faces.

Brissette, Marie 310
Réalisatrice avec qui j'ai travaillé
sur *Ce soir on joue*.

Brouillette, Hélène 232
Épouse de François Roy, chef de
clan. Généreuse, brillante.

Brousseau, Jocelyne 13, 14
Recherchiste et productrice télé.
Très allumée.

Brulotte, Rodger 142, 290
Journaliste, grand expert en
baseball.

Brunet, Caroline 100, 264, 278
Kayakiste olympique avec qui j'ai
correspondu pendant les Jeux
d'Athènes. Elle écrit comme si elle
avait fait ça toute sa vie.

Brunet, Marc 219
Scripteur, auteur de *Le cœur a ses
raisons*. Généreux.

Buisson, Paul 13
Gros reporter sportif de RDS,
ancien cameraman, décédé en
mai 2005.

Bush, George père 289
Ancien président des États-Unis,
père de W.

Bush, George W. 289
Président des États-Unis.

C

Cabrera, Orlando 1
Arrêt-court des Expos entre 1998 et
2004. Aujourd'hui avec les Angels.

Campbell, Margot 94
Comédienne âgée.

Cardin, Françoise 21, 317, 341,
359
La mère de France, une petite
blonde, qui a le grand talent d'être
heureuse.

Cardin, Yvon 323, 324, 341, 345,
352
Le mari de ma belle-mère. Homme
de paix à la santé fragile. Amateur
de sport. Yvon est décédé aux

petites heures, dans la nuit du
20 février 2005.

Carignan, François 54, 136
Producteur du Gala des Gémeaux.
Il a de l'esprit et beaucoup de vécu.
Ami amusant.

Casavant, Denis 290
Meilleur descripteur de sports à la
télévision.

Cazin, Jocelyne 242
Animatrice à TVA.

Chaloult, Dominique 45, 64, 143,
330
Grande patronne des variétés à
Radio-Canada.

Champagne, Michel 241
Ancien journaliste aux sports TVA.

Champoux, Martin 225
Animateur gentil, planté solide.

Chapleau, Serge 137, 264
Caricaturiste, père de Gérard D.
Laflaque, éternel grand ado, bum et
brillant.

Charest, Jean 321
Premier ministre du Québec.

Charlebois, Claude 59
Mon voisin d'en face,
concessionnaire d'eau de source.
Gaillard.

Charles, Gregory 8, 11, 90, 99,
149, 155, 180, 204, 275, 305, 361
Grand artiste, grand croyant. Grand
homme avec qui j'ai collaboré sur
deux galas.

Chartier, Benoît 125
Scripteur que je connais depuis
1984. Sportif. Drôle. Fin.

Chartrand, Jean-Paul père 94
Chroniqueur sportif qui est passé à
travers toutes les modes.

Chartrand, Jean-Paul fils 328, 358
Journaliste sportif, ami que je ne
vois jamais.

Chelios, Chris 274
Joueur de hockey, longue carrière.

Chicoine, Alain (Chico) 37, 40, 87,
104, 143, 163, 182, 217, 260, 277,
306
Le dernier né de mes vrais amis.
Réalisateur de grand talent. Un
frère, papa de trois beaux enfants.

Chicoine, Marc-André 182
Réalisateur, le frère de Chico.

Choquette, Alain 143, 217, 240
Magicien avec qui j'ai travaillé
quelques années.

Chouinard, Normand 21
Acteur. Un ami de Guérin,
Drainville et Girard.

Clément, Mario 57, 87, 253, 297
Vice-président de la
programmation à Radio-Canada, je
le connais depuis plus de 10 ans.
Bouillant caractère.

Clinton, Bill 297
Ancien président des États-Unis.

Cloutier, Guy 40, 94
Producteur.

Cloutier, Véronique 38, 40, 182,
212, 307
Animatrice vedette. Bonne fille.
Bonne mère.

Coallier, Jean-Pierre 5
Animateur avec qui j'ai travaillé
entre 1988 et 1994.

Collin, Bob 42, 308
Producteur à Énergie, homme
inspirant, bon père de famille.

Corbeil, Yves 82
Annonceur.

Corneille 299
Chanteur d'origine rwandaise.

Costanza, George 179
Loser. Meilleur ami de Jerry dans
Seinfeld.

E

Ehrlichman, John (1925-1999) 200
Un des deux principaux soldats de
Richard Nixon, lors du Watergate. Il
était *Domestic Affairs Adviser.*

Émond, Ti-Guy 69
Journaliste sportif qui parle vite, il a
60 ans et en sonne 17. Mémoire
phénoménale.

England, Diane 83, 86, 238
Productrice chez Zone 3. Agente de
Gregory Charles.

Evans, Daniel 128
Préposé à la circulation sur Énergie.

F

Fabi, Jacques 182
Animateur de nuit à CKAC. Un
vétéran.

Ferrari, Enzo 198
Bâtisseur de voiture. Italien. 1898-
1988.

Fiset, Martin 25, 96, 254
Président des Artilleurs de Sainte-
Thérèse, Junior BB, l'équipe de
Francis.

Foglia, Pierre 4, 65, 305
Chroniqueur à *La Presse.* M'a coûté
à peu près 5000 dollars de papier
journal depuis 30 ans. Je ne le
connais pas.

Fortin, Bernard 338
Acteur, chic et drôle.

Fournier, Guy 48, 94
Président des prix Gémeaux.
Auteur. Né en 1932.

Francke, Martine 26
Actrice, maman, blonde d'André
Robitaille.

Frulla, Liza 336
Ministre au fédéral.

Furlatte, André 12, 164, 169, 205,
238, 266
Un génie de la réalisation radiophonique. Confrère depuis 12 ans.

G

Gabriel, Peter 138
Musicien britannique génial.

Gagné, Éric 25, 50, 63, 159, 160,
185
Mon lien avec le baseball majeur.
Le numéro 38 des Dodgers de
Los Angeles. À qui je parle depuis
cinq ans.

Gagné, Faye 50
La petite fille d'Éric Gagné.

Gagnon, Pierre 98
Le mari de ma sœur Danielle, né en
1951. Homme bon et dévoué.

Gainey, Bob 184
Directeur gérant des Canadiens.

Garciaparra, Nomar 1
Joueur d'arrêt-court étoile. Boston,
1996-2004. Échangé aux Cubs en
2004.

Garneau, Richard 188
Vétéran animateur, journaliste,
chroniqueur sportif.

Gaudet, José 96, 159, 256
Une des deux *Grandes Gueules.*
Joyeux luron, toujours en folie, père
de deux jeunes enfants.

Gélinas, Jean-Claude 321
Humoriste avec qui j'ai travaillé un
peu à la radio. Très gentil.

Gélinas, Jean-Philippe (Philo) 278
Le mari de Suzanne Raymond, un
ami depuis 25 ans. Patron des
studios de Marko. Oreille de génie.
Il a 45 ans, en paraît 30.

Gélinas, Mireille 242
La fille de mes amis Philo et
Suzanne, ma filleule.

Laporte, Stéphane 182
Il écrit.

Laurendeau, Jean-Pierre 215
Vice-président Canal D. Je l'ai
connu au collège en 1967. Brillant.
Curieux.

Laverdière, Jean 329
Journaliste à CKAC. Jamais
rencontré.

Lebeau, Pierre 60
Acteur de grand talent. Marginal.
Fou.

Lebeuf, Pierre 292
Compagnon de travail depuis 1994.
Attachant. Comique.

Le Bigot, Joël 211
Animateur radio à la SRC, le
meilleur de la profession.

Leclerc, Martin 243, 266
Journaliste brillant au *Journal de
Montréal*.

Lecor, Tex 364
Chansonnier, peintre, insolent
téléphonique.

Lécuyer, Patrice 321
Animateur de grand talent.

Leduc, Robert 128
Ancien chum du Collège Laval.
1966-1970.

Leduc, Vincent 200, 263, 311
Vice-président de Zone 3. Un ami.
Brillant, humble, sensible et drôle.

Lefebvre, Stéphane 36, 86, 195
Le gros copain de Réal Béland. Son
faire-valoir, son partenaire, son
frère. Humoriste sous-estimé.

Le Flaguais, Véronique 99
Actrice québécoise, femme de
Michel Côté.

Légaré, Mario 219, 271
Bassiste. Un grand artiste dans l'art
de la gentillesse.

Légaré, Sylvain 83
Directeur marketing et promotions
chez Astral Radio.

Legault, Claude 19, 178
Acteur et scripteur de talent.

Legault, Sylvie 87
Comédienne intense.

Lelièvre, Diane 228
Une fille de mon adolescence.
Cheveux noirs. Jolie et comique.

Leloup, Jean 335
Faiseur de chansons, le gourou de
mon fils Simon.

Lemieux, Mario 288
Meilleur joueur de hockey de
l'histoire, avec Wayne Gretzky.

Lemire, Daniel 177
Humoriste sérieux.

Lepage, Guy A. 73, 292
Animateur, humoriste. Grâce à lui,
j'ai écrit pour *Un gars, une fille*.

Lepage, Robert 108
Auteur québécois international.
Grand créateur.

Lévesque, Régis 121, 328
Promoteur de boxe, coloré.

Lévesque, René 319
Ancien premier ministre du
Québec. Homme d'État mythique.

Limoges, Alexandre 254
Arbitre de baseball, docteur en
littérature française. Université Yale.

Limoges, Jean-François 254
Jeune entraîneur de Francis, il aime
gagner. Bon jack.

Limoges, Pierre 254
Papa de J.-F., l'entraîneur de Francis,
homme discret, ancien prof.

Loiselle, Maude 260, 277, 363
La femme de Chico. Une France
plus jeune. Belle, brillante et solide.
Maman de Lili, d'Émi et de
Thomas.

Losique, Anne-Marie 162
Animatrice agace.

Lucas, Éric 195, 269
Boxeur.

Lussier, Hélène 48
Assistante à la réalisation Gémeaux 2004. Elle ressemble à une petite Italienne. Fine.

M

Marcoux, Carole 173
Ma belle-sœur. Généreuse, altruiste, inquiète.

Marcotte, Denis 346
Ancien voisin rue Tripoli, Laval.

Marcotte, Michelle 346
La fille de Denis, du même âge que Félix, née en 1982.

Maréchal, Isabelle 21
Animatrice. Snobinette.

Martin, Iohann 211, 241
L'homme dans la vie de Mitsou. Le papa de Stella Rose.

Martineau, Richard 63
Coanimateur des *Francs Tireurs*, à Télé-Québec. Intellectuel.

Martineau, Yvan 188
Journaliste sportif à la télévision.

Martinez, Pedro 1
Ancien lanceur des Expos, seul gagnant du Cy Young de l'histoire de l'équipe, échangé à Boston en 1998.

Masson, Jean-Guy 76
Diminutif technicien, syndicaliste à CKOI.

Mays, Willie 145
Le joueur de balle de mon enfance.

McCarver, Tim 349
Analyste de baseball et ancien receveur de Bob Gibson.

McDowell, Malcolm 123
Acteur anglais, *A Clockwork Orange*.

Messier, Marc 13
Acteur québécois, très talentueux. Peut faire rire et pleurer.

Mervil, Luck 52
Chanteur né en Haïti.

Miller, Monique 21
Actrice depuis 50 ans.

Mimeault, Thérèse 336
Ancienne téléphoniste de lignes ouvertes à CKVL.

Moffatt, Ariane 12
Faiseuse de chansons.

Mongrain, Guy 105, 241, 330
Animateur à TVA. Je l'ai connu au cégep, en 1973.

Montpetit, Alain 270
Animateur de grand talent, décédé il y a une dizaine d'années. Vie troublée. J'ai travaillé avec lui au début de sa carrière.

Moore, Michael 168
Réalisateur américain. *Roger and Me. Bowling for Columbine. Fahrenheit 911.*

Moreau, Jeanne 151
Actrice française des années 1950 et 1960.

Moretti, Nanci 270
Italo-américaine, gentille, brillante, veuve d'Alain Montpetit.

Morin, Francine 64
Assistante de Jean Guimond à Radio-Canada. Rieuse et gentille.

Morin, Michel 321
Script éditeur sur *Laflaque*. Tourmenté.

Morissette, Louis 38
Humoriste. Scripteur. Concepteur. Le mari de Véronique Cloutier.

Morissette, Sylvie 90, 95
Adjointe à la haute direction à Énergie. Copine de travail depuis 11 ans. Une personne en or.

Salvail, Éric 196, 306, 334
Animateur télé. Collègue de travail à la radio. Sensible. Vrai.

Scully, Robert-Guy 189
Animateur, producteur blond et brillant.

Seinfeld, Jerry 77, 179
Comédien et personnage dont j'adore la série.

Sellers, Peter 87
Acteur britannique. Comique. Le fameux inspecteur Clouzot.

SLIK 40
La compagnie de Chico. Studio de montage. Boîte de réalisation.

Snyder, Julie 182
Animatrice, productrice, carriériste.

Sol 264
Vétéran clown québécois, création de Marc Favreau.

Soprano, Tony 61, 83, 151
Personnage titre de la série *Les Sopranos*. Chef de mafia.

Soprano, Meadow 95
La fille de Tony, dans *Les Sopranos*.

Sorgini, Linda 129
Actrice qui fait rire et pleurer.

Sosa, Sammy 275
Vedette des Cubs de Chicago échangé aux Orioles fin janvier 2005.

Spacek, Sissy 280
Actrice américaine.

Spinelli, Pierre 100, 146
Celui qui me vend mes voitures depuis 15 ans. Sympathique et vif. S'est sorti vivant d'un combat contre la bactérie mangeuse de chair.

Steppenwolf 275
Groupe rock, fin 1960, début 1970.

Synnett, Doris 161
Recherchiste, amie, atteinte du cancer.

T

Talbot, Denis 19
Animateur à Musique Plus depuis toujours.

Taschereau, Ghislain 3
Humoriste frisé. Imagination fertile. Protestataire.

Tessier, Mario 47, 96, 100, 159, 256, 275
Une des deux *Grandes Gueules*, ancien militaire. Fou. Ami.

Testaverde, Vinnie 311
Vétéran quart-arrière dans la NFL.

Tétreault, Alain 120, 245
Mon petit frère, né le 27 janvier 1963. Il est arrivé chez nous le 21 mars 1964 de la crèche. Un des plus beaux jours de ma vie.

Tétreault, André 25, 100
Le frère de mon père, mon oncle favori. Mon voisin pendant mon enfance. Né en 1930.

Tétreault, Danielle 100, 148, 236, 332, 357
Ma sœur aînée. Une brillante, humaine et gentille. Toujours prête à écouter, à aider. Cœur ouvert.

Tétreault, Ernest 100
Le frère aîné de mon père. Décédé du cancer, avec une résignation touchante. Psychiatre.

Tétreault, Félix 4, 23, 45, 49, 55, 63, 75, 84, 124, 150, 166, 167, 207, 227, 230, 234, 310, 326, 345, 346, 357, 360
Mon fils aîné. Voyageur. Artiste. Heureux. Brillant. Ma fierté. Né le 15 juin 1983. Jumeau de ma fille Marie, décédée le 29 septembre 1985. A survécu à l'épiglottite. Un de mes trois meilleurs amis.

Tétreault, Fernand 25
Un autre frère de mon père. Dentiste. Un homme bon. Né en 1925.

Tétreault, Francis 22, 34, 49, 51, 62, 68, 85, 94, 106, 114, 116, 123, 130, 146, 152, 187, 196, 203, 206, 215, 230, 231, 234, 241, 242, 244, 250, 256, 268, 295, 308, 313, 326, 336, 355, 357, 360
Mon fils lanceur gaucher, planchiste. Toujours dans la lune, âme généreuse. Il a des millions d'amis et d'amies. Le plus fin, dit sa mère. Né le 3 octobre 1986. A survécu à la méningite. Un de mes trois meilleurs amis.

Tétreault, Jean 112
Pas de lien de parenté. Ancien adversaire au hockey.

Tétreault, Jean-Guy 58, 66, 166,192, 229, 280, 286, 313, 314, 345, 351
Né en 1926 à Rosemont. Mon père et ami. Un homme exemplaire par sa droiture et son honnêteté.

Tétreault, Jocelyne 14, 35, 56, 126, 168, 192, 216, 229, 242, 278
Ma sœur plus jeune, mariée à J.-F. Nous avons partagé des années d'adolescence, du cégep et des amis. Un amour.

Tétreault, Marie 220, 222, 260
Ma chère fille. Guide de ma vie, mon ange intérieur, un joli petit visage qui est sur tous les murs de ma maison. Sœur jumelle de Félix. Elle s'est envolée à 27 mois et demi. Elle influence ma vie tous les jours. Elle est ma référence. Mon gourou.

Tétreault, Marie-Claude 210
Aucun lien de parenté, la sympathique épouse de Normand Brathwaite.

Tétreault, Monique 134
Ma cousine, c'était ma voisine sur la terrasse Pilon. Je l'aimais beaucoup.

Tétreault, Simon 7, 22, 34, 44, 49, 51, 62, 66, 68, 72, 73, 85, 89, 106, 112, 119, 121, 128, 132, 136, 146, 183, 187, 220, 226, 230, 234, 241, 244, 260, 267, 274, 298, 299, 301, 313, 314, 326, 335, 336, 345, 357, 360
Mon fils cadet. Brillant, travailleur, intéressé à tout. Guitare, baseball, autos, chasse, planche. Né le 9 novembre 1988. A survécu à une grossesse de 29 semaines. Un de mes trois meilleurs amis.

Tétreault, Sylvie 110, 153, 166, 200, 285
Ma sœur cadette. Née en 1957. Généreuse, rieuse, travaillante et ordonnée. Amie des bêtes.

Tétreault, Yolande 166, 208
La sœur aînée de mon père. La Reine de la famille Tétreault. Elle a eu neuf frères, tous plus jeunes. Sa mère est morte à 50 ans.

Tétreault, Yves 204
Le fils d'Ernest, le plus vieux de mes cousins Tétreault.

Tétreault, Yvon 7
Le frère de mon père, missionnaire aux Philippines pendant 40 ans. Un guide. La bonté incarnée. Né le 30 novembre 1931.

Tétreault-Bélec, Henriette 24, 108, 132, 134, 166, 192, 212, 303, 312, 332, 345, 349
Ma mère. Une sainte femme. Elle ira au paradis sans escale. Née le 14 octobre 1925.

Tétreault-Courteau, France 1, 13, 14, 18, 24, 34, 38, 39, 44, 45, 49, 55, 59, 71, 75, 84, 85, 86, 100, 103, 105, 106, 107, 113, 114, 115, 117, 123, 124, 129, 130, 136, 139, 150, 154, 156, 161, 172, 185, 190, 193, 196, 198, 199, 205, 206, 213, 219, 220, 222, 230, 232, 233, 241, 243, 244, 253, 256, 259, 268, 284, 291, 292, 295, 299, 308, 310, 312, 316, 317, 336, 345, 362
C'est ma femme, mon amour depuis samedi le 28 mars 1970. Elle

avait 15 ans. Une explosion quotidienne de toutes sortes de choses. Une grande artiste aux mains magiques. La mère de mes enfants. Ma partenaire, mon amour et mon amie. Toujours belle.

Tétreault-Lauzon, Janette 100, 235
La femme de mon oncle André. Ma voisine toute ma jeunesse.

Tétreault-Marcoux, Lili 173
Ma petite filleule, la fille de Carole et de mon frère, adoptée de Chine. Née en 2000. Magnifique.

Thibault, Noémie 15
Une petite voisine à Sainte-Thérèse, amie de Simon depuis la petite enfance.

Tietolman, Jack 63
Ancien propriétaire fondateur de CKVL. Décédé. Vieux juif.

Tintin 237
Personnage de bande dessinée, héros de mon enfance.

Tougas, Marie-Soleil 56
Ancienne animatrice et amie, décédée dans un accident de petit avion en août 1997.

Tremblay, Luc 195, 225, 239, 249, 300
Vice-président d'Énergie et de Rock Détente. Brillant. *Top shape.*

Tremblay, Michel 13
Auteur prolifique, symbolique et mythique. Géant.

Tremblay, Réginald 188, 303
Un ami, amateur de baseball.

Tremblay, Réjean 109, 195
Chroniqueur de sport. Il m'a blessé.

Tremblay, Yves 134
Ancien relationniste des Canadiens, dans les années 1970.

Trudeau, Dominick 13
D'abord recherchiste, puis producteur.

Trudeau, Pierre 123, 297
Ancien premier ministre du Canada.

Turbide, Serges 143
Scripteur, ancien chanteur. Auteur des *Six bons moines...*

Turcotte, Richard 96, 266
Animateur des *Grandes Gueules.*

V

Vanasse, Jacques 80
Ancien chroniqueur de sport et copain de travail à CKLM. Fort comme un bœuf.

Van Zandt, Steve 38
Acteur américain, humoriste, musicien, il joue le rôle de Silvio dans *Les Sopranos.*

Verville, Pierre 352
Imitateur, ornithologue, je travaille avec lui sur *Laflaque.*

Viens, Chantal 308
La femme de Bob Collin, jolie fille. Gentille et toujours calme.

Villeneuve, Michel 109, 218
Chroniqueur sportif frondeur et coloré.

Vincent, Gilles 352
Réalisateur-meuble de TVA, 6 pieds 6 pouces. Décédé il y a quelques mois. Bon *jack.*

W

Walker, Larry 266
Vétéran joueur de baseball, ancien des Expos, avec les Cards.

Woods, Tiger 165, 207
Meilleur golfeur au monde.